KU-048-604

ISBN 3-7750-0170-0



Satz: Werner Franz, Bischweier.
Reproduktionen: Repro-Technik Ruit, Ostfildern.
Druck: Ernst Uhl, Radolfzell, 1987.



English translation:
Josef Thaller (text), Brigitte Scheu (recipes).
Recipes: Monika Graff.
Photography: Bruno Hausch.

# Inhalt



# Contents

# Rezepte



# Recipes

Das Wesen des Originals ist die Unschuld. Nicht die Unschuld des von der Sünde Befreiten – es gibt ja auch Sünder unter den Originalen –, es ist die Unschuld des Unmittelbaren, des Spontanen. Dies ist auch der Grund, warum es so selten Politiker oder sonstige Personen von öffentlichem Rang unter den Originalen gibt. Von wenigen Ausnahmen abgesehen. Eine dieser wenigen Ausnahmen war der verstorbene Landtagsabgeordnete Tiberius Fundel aus dem Lautertal. Der „Bere", der in Indelfingen, zwischen Münsingen und Zwiefalten, 1898 das Licht der Welt erblickte und wie sein Vater Müller wurde, war ein aufrechter Mann, der nichts und niemanden fürchtete und zu jedem du sagte. Wie viele schwäbische Originale verstand es auch der „Bere" trefflich, seine Gedanken in Verse zu fassen. 1918, beim Militär, als er nach langer Krankheit im Münsinger Hospital völlig unerwartet wieder genesen war, schrieb er dem Stabsarzt:

*„Drei Monat hing mein Leben*
*in der Schwebe,*
*und die Doktoren gaben längst*
*mich preis.*
*Daß ich trotz deren Hilfe*
*heut noch lebe,*
*das ist ein Glück, das ich*
*zu schätzen weiß!"*

Berühmt waren seine Reden im Landtag, berühmter noch seine Zwischenrufe und guten Ratschläge. So der Rat, den er 1966 Kurt Georg Kiesinger auf den Weg nach Bonn als Bundeskanzler mitgab: „Kurt Georg, bleib a a'schtändiger Mensch! Jetzt ka ma bloß no für di bette."
Wohl am bekanntesten ist der Ratschlag, den er 1948 dem ersten Staatspräsidenten von Südwürttemberg-Hohenzollern, Gebhard Müller, erteilte: „Schtaatspräsidentle, oins muascht dir merke: Paß uf, daß du it z' oft in d' Zeitong kommscht! Je öfter nämlich im Blättle bischt, je öfter putzet se d' Leut ihren Hentere mit dir ab!"

Ein anderes Original war der Blaubeurener Oberamtsrichter Dodel, der für seine salomonischen Urteile bekannt war. Einmal hatten sich auf dem Wochenmarkt in Blaubeuren ein Ziegenbock und eine Geiß losgerissen und derart ausgiebig verlustiert, daß etliches Geschirr zerschlagen wurde, worauf die Halter um Schadenersatz verklagt wurden.
Dodel entschied: „Die Halterin von der Geiß hat vier, der Halter des Ziegenbocks zwei Teile des zerschlagenen Geschirrs zu bezahlen, denn dia Goiß ischt mit vier Füß in dem G'schirr g'stande ond der Bock bloß mit zwoi!"

Etwas Umittelbares und, wenn man so will, Unschuldiges haftet auch den schwäbischen Spätzle an. Diese scheinbar kunstloseste aller Teigerscheinungen, krumm, kurz, lang, dick und dann wieder, mitunter am gleichen Stück, dünn, voll der seltsamsten Windungen, Verquerungen, Einbuchtungen und Auswuchtungen, keines dem anderen gleich und doch einander ähnlich, diese sonderbarste aller Volksspeisen – von welcher der Stuttgarter Oberbürgermeister Manfred Rommel einmal sagte, sie stelle den vergeblichen Versuch der Schwaben dar, italienische Makkaroni nachzumachen – entspricht wie kein anderes Produkt der schwäbischen Küche dem Wesen dieses Volksstammes und verkörpert wie kein anderes die Einmaligkeit des Originalen.

Schwäbische Spätzle gehen, wenn man einigen Quellen glauben darf, zurück auf das 13. Jahrhundert. So wie es aussieht, sind sie das einzige Produkt, das die Schwaben im 21. Jahrhundert noch genau so machen werden wie vor 700 Jahren.

The essential trait of what in Germany is called "ein Original", and what might best be translated as "a character", is innocence. Not the innocence that is free of sin – after all, there are "characters" who are also sinners, or vice-versa – it is the innocence of the direct, the spontaneous. This may well be one of the reasons why there are so few politicians or other persons of high office who could be called characters. One of the few exceptions is the former member of the Baden-Württemberg State Parliament, the late Tiberius Fundel, also known as *King of the Lautertal.*

*Bere,* as he was lovingly called by everyone, was born in a mill at Indelfingen, a small village on the Swabian Alb between Münsingen and Zwiefalten. Like his father, he became a millwright. *Bere* was an honorable man who feared nothing and no one and called everybody by his first name. (Unusual in Germany, where it is considered a sign of respect to address people by their proper title and surname.) Like many Swabian characters, *Bere* had the gift of putting his thoughts to verse. In 1918, after an unexpected recovery from a very serious illness, he sent the hospital superintendent this poem:

*"Three months my life had been in peril,*
*And doctors had already given up.*
*That I should live despite their help now,*
*Is luck, sheer luck and nothing but."*

His speeches in the State Parliament were famous. Even more famous were his catcalls and the good advice he gave to his friends. Like that which he gave to Kurt Georg Kiesinger when he was on his way to Bonn to assume the chancellorship. "Kurt Georg, stay clean! All we can do now is pray for you." Also famous is the advice he gave Gebhard Müller, first president of South Württemberg-Hohenzollern. "Staatspräsidentle (diminutive for State President), keep one thing in mind: Take care that you don't get in the news too much. Because the more often you're in the papers, the more often people are going to wipe their behinds with you!"

Another character was Judge Dodel of Blaubeuren, who was known for his solomonic judgement. Once, on market day at Blaubeuren, a she-goat and a billy-goat got loose and had fun together so enduringly, that quite a bit of pottery was broken, whereupon the owners of the goats were sued for damages. Judge Dodel decided: "The owner of the she-goat has to pay four parts, the owner of the billy-goat two parts, because the she-goat had stood with four legs in the pottery, and the billy-goat with only two."

Some of the directness or, if you wish, innocence typical of the *Original* is also typical of Swabian Spätzle. This at first glance most artless of all home-made noodles or noodle-like creations, which Manfred Rommel, Lord Mayor of Stuttgart once described as the futile attempt on the part of the Swabians to imitate Italian macaroni, is, more than any other product of Swabian cooking, typical of the Swabians. With its varied and manifold appearances, short, long, thick and thin, bent and twisted, no noodle like the other, yet all similiar to one another, this strangest of all popular dishes is the perfect embodiment of all that is original.

Swabian Spätzle go back to the 13th century. By the looks of it, it is the only product Swabians will continue to make in the 21st century the same way they did 700 years ago.

## Schwäbischer Rostbraten

| |
|---|
| 4 Scheiben Rostbraten, je ca. 180–200 g |
| Salz und frischgemahlener Pfeffer |
| zerlassene Butter oder gutes Speiseöl |
| 4 mittelgroße Zwiebeln |
| Butterschmalz zum Braten |
| 1 Schuß Rotwein |
| 4 Eßl. süße Sahne |

Die Fleischscheiben leicht klopfen und den Rand mehrmals einkerben (damit sich das Fleisch beim Braten nicht hochwölbt). Mit Salz und Pfeffer sparsam würzen und mit etwas Butter oder Öl bepinseln. Auf den heißen Rost – wie in alten Rezepten – legen und rasch von beiden Seiten anbraten. Je nach Geschmack den Rostbraten „englisch" oder durchbraten. Fühlt sich das Fleisch beim Druck mit der Fingerspitze elastisch an, so ist es innen noch blutig. Je fester es sich anfühlt, desto durchgebratener ist es.
Die Zwiebeln in feine Ringe schneiden und im heißen Bratfett in der Pfanne schön kroß braten. Über den Rostbraten anrichten. Es empfiehlt sich in jedem Falle, die Zwiebeln separat zu braten.
Man kann den Rostbraten auch in einer schweren (schmiede- oder gußeisernen) Pfanne zubereiten: Die Fleischscheiben leicht klopfen, einkerben. Rostbraten im heißen Butterschmalz rasch von beiden Seiten anbraten, dann pro Seite noch 3 bis 4 Minuten weiterbraten. Mit Salz und Pfeffer würzen, aus der Pfanne nehmen und auf einer Platte bedeckt warm halten. Den Bratfond mit wenig Rotwein aufkochen, kurz einkochen und die Sahne unterrühren. Dieses kurze Sößle zu den Rostbraten servieren.
Rostbraten kann mit Bauernbrot oder mit Sauerkraut und Spätzle oder nur mit Spätzle und Salat serviert werden.

## Spätzle*

| |
|---|
| 500 g Weizenmehl |
| 4–5 Eier |
| 1 Teel. Salz |
| 1/8–1/4 l Wasser |
| evtl. 1 Teel. Öl für das Kochwasser |
| heißes Wasser zum Schwenken |

Das Mehl mit den Eiern und dem Salz in eine Schüssel geben. Unter Rühren nach und nach das Wasser zugeben und den Teig mit einem Kochlöffel (oder dem elektrischen Handrührgerät) so lange kräftig schlagen, bis kein Teigrest mehr am Löffel hängenbleibt, wenn er zur Probe in die Höhe gehalten wird. Den Teig für kurze Zeit ruhen lassen, dann nochmals gut durcharbeiten.
Ein Spätzlesbrett (dieses Brett ist nach vorne etwas abgeschrägt, siehe Foto) mit Wasser benetzen, eine kleine Menge Teig daraufstreichen und mit einem breiten Messer oder Schaber dünne Teigstreifen in das schwach sprudelnde Kochwasser schaben. Während des Schabens das Brett und das Messer immer wieder in das sprudelnde Wasser tauchen – das erleichtert die Arbeit! Schwimmen die Spätzle an der Oberfläche, mit einem Schaumlöffel herausnehmen und kurz im heißen Wasser schwenken, dann kleben die Spätzle hinterher nicht zusammen. Die fertigen Spätzle gut abtropfen lassen, auf eine vorgewärmte Platte legen und rasch servieren.
Früher wurde in manchen Familien Molke zum Anrühren des Teiges verwendet. Die Molke ist eigentlich ein Abfallprodukt, das beim Herstellen von Quark und Käse anfällt. Durch die Molke bekamen die Spätzle eine lockere Struktur. Die fertigen Spätzle können mit Butter, leicht gerösteten Semmelbröseln oder feingeschnittenen, braungebratenen Zwiebelringen oder Speckwürfeln überschmälzt werden.

**Bild Seite 6/7*

## Schwäbischer Rostbraten (Swabian roast steak)

4 slices rib steak, each about 6–7 oz.
salt and freshly ground pepper
melted butter or good cooking oil
4 middle-sized onions
lard when frying in skillet
a glass of red wine
4 tbsp. sweet cream
Preheat oven to 475° F

Beat meat slices slightly and score edges so meat won't cup when frying. Season sparingly with salt and pepper and brush with some butter or oil. Put on grill in oven and sear on both sides. Depending on preference roast meat rare or well done. To test press meat with fingertip. If it feels elastic, it is still rare, the firmer it feels the more it is well done! Cut onions in thin rings and fry crisp in hot lard in pan. Arrange on top of meat. It is recommended to fry onions separately.
You can also fry the steaks in a heavy (cast-iron) skillet: beat meat slices slightly, notch edges. Sear quickly in hot lard on both sides, then continue frying 3 to 4 minutes on each side. Season with salt and pepper, take out of skillet and keep in warm place. Boil meat juices together with glass of red wine, let thicken and stir in sweet cream. Serve this sauce with the steaks.
You can serve Swabian Rostbraten with coarse rye bread or with Sauerkraut and *Spätzle* or with *Spätzle* and salad.

## Spätzle*

1 lb. wheat flour
4–5 eggs
1 tsp. salt
1/3–1/2 cup of water, depending on type of flour
1 tsp. oil
hot water for tossing

In mixing bowl mix flour, eggs and salt. Add water little by little and keep stirring until smooth. With a wooden spoon (or with a mixer) beat dough until nothing remains on spoon when holding it up. Allow dough to rest for a short time, then again work it thoroughly. Moisten a *Spätzle* board (a wooden board with a handle on one side and a beveled edge on the other), with water, spread a little dough on it and scrape with a broad knife thin strips of dough into slightly boiling water. While scraping, dip board and knife time and again into boiling water – this makes work easier! When *Spätzle* rise to the surface take them out with a skimmer and toss them briefly in hot water, so that they won't stick together. Drain *Spätzle* well, place them on a preheated plate and serve quickly.
In former times, some families used whey instead of water for making dough. Whey actually is a waste product that is obtained when producing curd and cheese. The whey gave the *Spätzle* a lighter consistency.
*Spätzle* are served either with melted butter and with slightly toasted breadcrumbs or with finely cut, fried onion rings or with diced bacon.
*Spätzle* taste especially good if the dough is prepared only with eggs (about 8–9 eggs) instead of water – these *Spätzle* made of eggs will make a great meal! As a side-dish this quantity makes about 8 portions, for a main course – e. g. *Kässpätzle* – about 4 portions.

* See picture page 6/7

*Emilie Reinhardt, Lammwirtin zu Steinreinach.*
*Emilie Reinhardt, innkeeper in Steinreinach.*

Wäre Steinreinach bei Korb kein Wengerterdorf, sondern eine Universitätsstadt, und wären die Stammgäste im „Lamm" keine Handwerker aus dem Remstal und Kaufleute aus Stuttgart, sondern Studenten und Professoren, dann hätte es zum achtzigsten Geburtstag vom Emile vielleicht, wie bei der legendären Tante Emilie in Tübingen, auch einen Fackelzug gegeben, und ein bedeutender Professor, der eigentlich nie ein Gedicht schreiben wollte, hätte ihr das einzige Gedicht geschrieben, das er je schreiben sollte. So haben ihr nur ein paar Stammgäste die Wirtshaustür zugemauert. Abgesehen davon, daß so etwas gutem schwäbischem Brauchtum entspricht, ist dies angesichts des Risikos, das man heutzutage eingeht, wenn man frühmorgens zwischen vier und fünf mit einer Fuhre Mörtel und Ziegelsteinen sich an einem fremden Haus zu schaffen macht, nicht geringer zu werten, als wenn einer hinter einer Fackel herläuft. Insofern steht der Geburtstagsgruß für 's Emile in Steinreinach der Huldigung für die Tante Emilie in Tübingen in nichts nach.

*

's Emile mag keine Langhaarigen und Menschen, die Coca-Cola zum Essen trinken. Kinder mag sie. Ihrer Meinung nach haben sie aber ein Anrecht darauf, daheim und nicht im Wirtshaus verköstigt zu werden. Da bringt sie es mitunter auch fertig, zu Familien, die gleich rudelweise zum Essen anrücken, zu sagen: „So, send'r wieder z' faul zum Kocha g'wea!" Was aber keiner krummnimmt.
Zu ihren Stammgästen sagt sie du. Das Du kann sich dabei ebenso auf den Vornamen wie auf den Familiennamen beziehen. Zum Geburtstag bekommt jeder von ihr „a guate Flasch Wei". Wobei sie streng darauf achtet, daß der Wein besser ist als der, den er sonst trinkt. Die Wirtschaft hat sie längst an ihren Sohn, den Adolf, übergeben. Sie schafft nur noch etwas im Garten wegen der Blumen für die Tische und der Salate und Kräuter für die Küche.
Wenn die richtigen Gäste da sind und die Stimmung entsprechend ist, holt sie ihr Liederbuch und setzt sich ans Klavier. Da kann's dann schon mal vorkommen, daß sich ein paar dazugesellen, auch Gotthilf Fischer, wenn er grad im „Lamm" ist, und alle mitsingen, wenn sie mit ihrer überraschend hellen und klaren Stimme „Durch's Wiesetal gang i" oder „Mein Schätzle ist fei" anstimmt.
In dem Liederbuch sind so längstvergessene Weisen wie „Württembergisches Vaterlandslied (feierlich)" und so seltsame wie „Die Wiener in Berlin" und „Das schwarzbraune Bier". Das Buch hat sie von einem Gast geschenkt bekommen, der so anhänglich war, daß er sich kurz vor seinem Tode noch einmal mitsamt dem Bett ins „Lamm" tragen ließ.

Seit ihrem dreißigsten Lebensjahr trägt 's Emile Schnürstiefel. Das war schon vor dem Krieg ihr Markenzeichen. Weswegen ein reicher Stuttgarter Schuhfabrikant, der zu ihren Stammgästen zählte – ein vielfacher Millionär, der nie einen Pfennig Geld mit sich zu führen pflegte –, seine Zeche stets mit Schnürstiefeln zahlte. Allmählich sammelten sich in der Schlafkammer vom Emile so viele Schnürstiefel an, daß sie sie an die Bauern der Umgebung verkaufte, womit sie einen nicht unwesentlichen Beitrag zur Fußgesundheit der weiblichen Bevölkerung des Remstales leistete. Ein anderer Stammgast war der Flugzeugkonstrukteur Heinkel, der unweit von Steinreinach, in Grunbach, aufgewachsen ist. Von ihm meint sie: „Dem sei Muatter hot Hoor auf de Zähn ghot, desweage isch aus dem au was wora."
In liebevoller, fast wehmütiger Erinnerung ist ihr der Vater, der schon mit 56 Jahren starb. „Do an dem Fenster ist er g'standa, a paar Täg vor seim Tod, ond hot g'sait: ‚Wer vo meine Kender wird au amol do standa ond als Wirt aus dem Fenschta nausgucka?' I han net denkt, daß des amol i sei werd."

If Steinreinach near Korb were not a wine growers' village but a university town, and if the patrons of the *Lamm* were not craftsmen from Rems Valley and businessmen from Stuttgart but university professors and students, then Emilie or *'s Emile,* as she is called, might well have had a torchlight parade for her eightieth birthday, as did her famous Tübingen counterpart, Aunt Emilie, and an eminent professor, who "never really wanted to write a poem", might have written for her the only poem he would ever have written.

As it was, only a couple of habitues built a brick wall to block her *Gasthaus* front door. Apart from the fact that this is good old Swabian tradition, the risks involved when building a brick wall in the middle of the night in these uncertain times make it a no lesser feat than running behind a torch on a dark night. In this respect the birthday celebrations for *'s Emile* rank equally with those for Aunt Emilie in Tübingen.

*

*'s Emile* does not like *hippies* and people who drink Coca-Cola with their meals. Nor does she like children in a *Gasthaus.* She is of the opinion that children have a right to good, old-fashioned homecooking in their own home and not in an inn. She might for that reason occasionally even chide one or the other parent with a quizzical "been too lazy again to do your own cooking, eh?" which nobody really minds, however.

*'s Emile* calls all her regulars – who are mostly male – by their first names and on their respective birthdays each gets a bottle of wine. She takes great care to ensure that the wine they get as a present is better than the wine they usually drink.

*

The *Lamm* has long been handed down to her son Adolf. All she does now is a bit of gardening. Just enough to have fresh flowers for the tables everyday and herbs for the kitchen. When she is in the mood, and when she thinks she has an appreciative audience, she brings out her old songbook und sits down at the piano. Usually after the first few bars, a couple of guests join in when she begins to sing with a remarkably clear voice "When I Walk Through The Valley" or "My Honey Is Fine". In the songbook there are such forgotten tunes as "Württembergisches Vaterlandslied" (solemn) and such strange ones as "The Viennese in Berlin" and "That Black-Brown Beer". The songbook was given to her by an old admirer who was so attached to her and the *Lamm* that he had himself carried into the inn, bed and all, a few days before he died. "For a last drink" as he said.

Since her thirtieth birthday Emile has worn ankle-high laced boots. This has been her trademark even before the war. It was also the reason why a rich Stuttgart shoe manufacturer, a multimillionaire, who never carried any cash around with him, had made it a habit to pay his bills with laced boots. Eventually, when the stack of shoe boxes reached the ceiling of Emile's bedroom, she sold the shoes to the farmers of the surrounding villages, thus raising considerably the standard of footwear of the female population in Rems Valley.

Another patron of the *Lamm* was that legendary airplane designer and manufacturer Heinkel, who grew up not far from Steinreinach, in Grunbach. She says of him "His mother had hair on her teeth, that is why he became so successful." (A German saying, meaning that she had a sharp tongue.)

She has loving, almost melancholy memories of her father who died fairly young at the age of fifty-six. "There he stood at this window", she says, "just a few days before his death, wondering: 'Which of my children will stand here some day and look out of this window as the publican of this inn?' I never thought it would be me."

# Schupfnudeln
# (Bubespitzle, Wargele)

1 kg Kartoffeln, am Tag zuvor gekocht
2–3 Eier
je 1 Prise Salz und Muskat
ca. 100 g Weizenmehl
4 l kochendes Salzwasser
Butterschmalz zum Braten
Evtl. zum Aufziehen:
1–2 Eier
2–3 Eßl. süße Sahne

Die Kartoffeln schälen, fein reiben, die Eier und die Gewürze und soviel Mehl zufügen, bis die Masse zusammenhält (das hängt von der Kartoffelsorte ab). Den Teig durchkneten, eine Rolle formen, davon kleine Portionen abschneiden und mit den Händen auf einem bemehlten Backbrett kleinfingerlange Würstchen formen. Die Schupfnudeln in leicht gesalzenem Wasser so lange kochen, bis sie an die Oberfläche kommen. Eventuell erst eine Probenudel abkochen, und wenn diese zerfällt, noch etwas Mehl unterkneten.
Die Bubespitzle gut abtropfen lassen, sodann im heißen Butterschmalz rundum knusprig braten und zu Sauerkraut oder Braten reichen.
Oder die abgetropften Schupfnudeln auf einem Backbrett ausbreiten, und wenn sie gut abgetropft sind, in eine gefettete Form legen, mit verquirltem Ei und Sahne übergießen und im vorgeheizten Backofen bei ca. 200 °C etwa 20 Minuten goldgelb überbacken.
Das Hin-und-her-Rollen der Kartoffelmasse nennt man – je nach Gegend – schupfen oder wargeln.

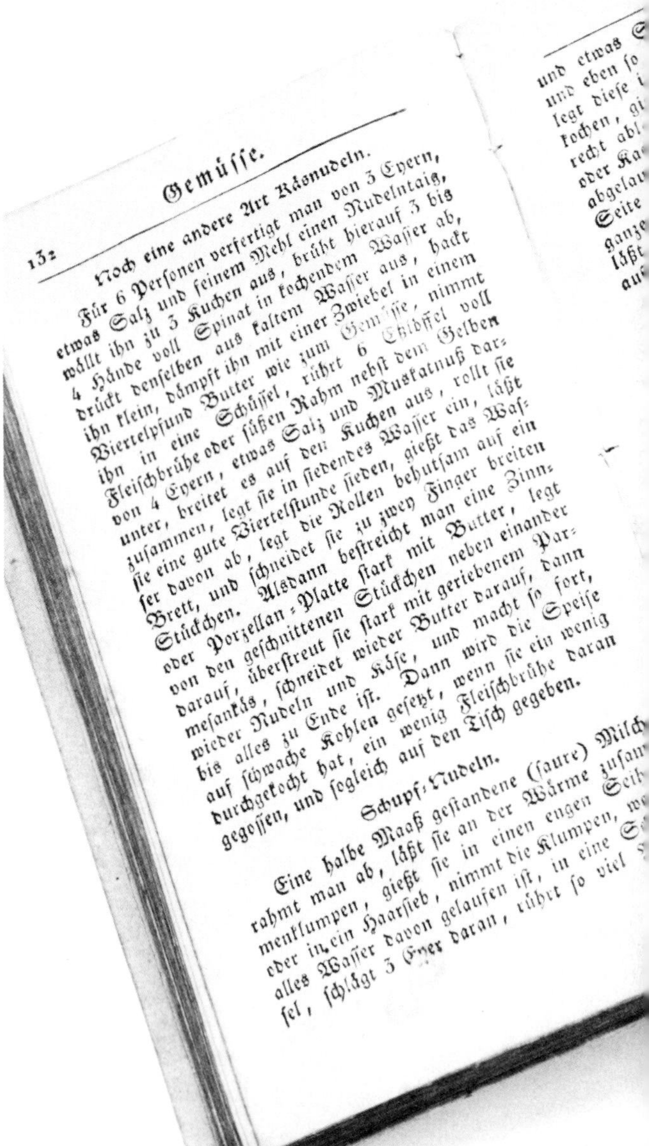
132 Gemüsse.

Noch eine andere Art Käsnudeln.

Für 6 Personen verfertigt man von 3 Eyern, etwas Salz und feinem Mehl einen Nudelntaig, wällt ihn zu 3 Kuchen aus, brüht hierauf 3 bis 4 Hände voll Spinat in kochendem Wasser ab, drückt denselben aus kaltem Wasser aus, hackt ihn klein, dämpft ihn mit einer Zwiebel in einem Viertelpfund Butter wie zum Gemüse, nimmt ihn in eine Schüssel, rührt 6 Eßlöffel voll Fleischbrühe oder süßen Rahm nebst dem Gelben von 4 Eyern, etwas Salz und Muskatnuß darunter, breitet es auf den Kuchen aus, rollt sie zusammen, legt sie in siedendes Wasser ein, läßt sie eine gute Viertelstunde sieden, gießt das Wasser davon ab, legt die Rollen behutsam auf ein Brett, und schneidet sie zu zwey Finger breiten Stückchen. Alsdann bestreicht man eine Zinn- oder Porzellan-Platte stark mit Butter, legt von den geschnittenen Stückchen neben einander darauf, überstreut sie stark mit geriebenem Parmesankäs, schneidet wieder Butter darauf, dann wieder Nudeln und Käse, und macht so fort, bis alles zu Ende ist. Dann wird die Speise auf schwache Kohlen gesetzt, wenn sie ein wenig durchgekocht hat, ein wenig Fleischbrühe daran gegossen, und sogleich auf den Tisch gegeben.

Schupf-Nudeln.

Eine halbe Maaß gestandene (saure) Milch rahmt man ab, läßt sie an der Wärme zusammenklumpen, gießt sie in einen engen Seih- oder in ein Haarsieb, nimmt die Klumpen, wenn alles Wasser davon gelaufen ist, in eine S- sel, schlägt 3 Eyer daran, rührt so viel

*Originalrezept aus*
*„Oekonomisches Handbuch für Frauenzimmer“,*
*Stuttgart 1817.*

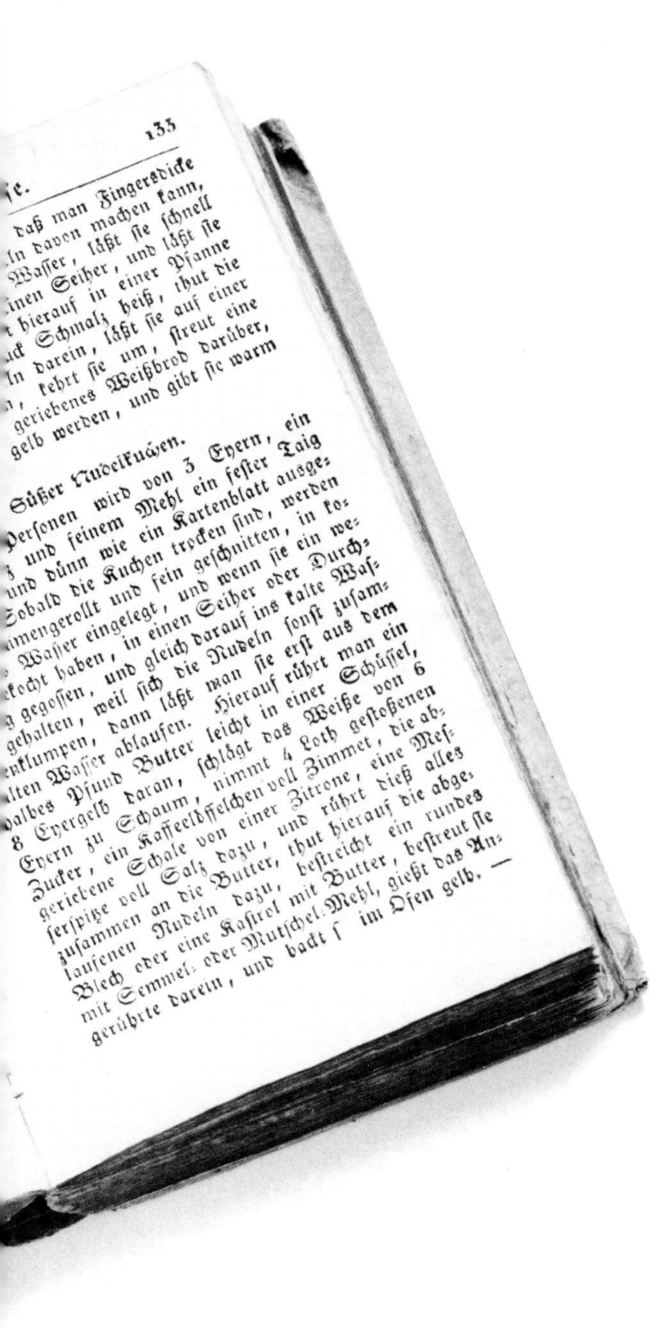
133

ſe.

daß man Fingersdicke
ln davon machen kann,
Waſſer, läßt ſie ſchnell
inen Seiher, und läßt ſie
t hierauf in einer Pfanne
ck Schmalz heiß, thut die
ln darein, läßt ſie auf einer
, kehrt ſie um, ſtreut eine
geriebenes Weißbrod darüber,
gelb werden, und gibt ſie warm

Süßer Nudelkuchen.

Perſonen wird von 3 Eyern, ein
und feinem Mehl ein feſter Taig
und dünn wie ein Kartenblatt ausge-
Sobald die Kuchen trocken ſind, werden
mengerollt und fein geſchnitten, in ko-
Waſſer eingelegt, und wenn ſie ein we-
kocht haben, in einen Seiher oder Durch-
gegoſſen, und gleich darauf ins kalte Waſ-
gehalten, weil ſich die Nudeln ſonſt zuſam-
nklumpen, dann läßt man ſie erſt aus dem
lten Waſſer ablaufen. Hierauf rührt man ein
albes Pfund Butter leicht in einer Schüſſel,
8 Eyergelb daran, ſchlägt das Weiße von 6
Eyern zu Schaum, nimmt 4 Loth geſtoßenen
Zucker, ein Kaffeelöffelchen voll Zimmet, die abgeriebene Schale von einer Zitrone, eine Meſ-
ſerſpitze voll Salz dazu, und rührt dieß alles
zuſammen an die Butter, thut hierauf die abge-
laufenen Nudeln dazu, beſtreicht ein rundes
Blech oder eine Kaſtrol mit Butter, beſtreut ſie
mit Semmel- oder Mutſchel-Mehl, gießt das An-
gerührte darein, und backt ſ im Ofen gelb. —

# Schupfnudeln (Bubespitzle, Wargele) (potato noodles)

| |
|---|
| 2.2 lbs. potatoes, cooked the day before |
| 2–3 eggs |
| a pinch each of salt and nutmeg |
| about 4 oz. flour |
| 4 qt. boiling saltwater |
| lard for frying |
| Alternative serving suggestion: |
| 1–2 eggs<br>2–3 tbsp. sweet cream |

Peel potatoes, grate fine. Add eggs, salt, nutmeg and just enough flour until the mixture holds together (this depends on the sort of potato). Knead mixture thoroughly, form a roll, cut into slices. On a floured board form into small finger-sized rolls. Boil the *Schupfnudeln* in slightly salted water until they rise to the surface. It is a good idea to test one *Schupfnudel* before continuing. If it falls apart in the water, put a little more flour into remaining mixture. Drain *Schupfnudeln,* then fry in clarified butter or lard until crisp. Serve with Sauerkraut or pot-roast.
Or, place well drained *Schupfnudeln* in greased baking-dish, beat eggs, mix in cream and pour over *Schupfnudeln.* Preheat oven to 400 degrees and bake for about 20 minutes until golden brown.
The back and forth movement used to roll out the potato mixture is called – depending on the region – *Schupfen* or *Wargeln.*

---

*Reprint from an old Swabian Cookbook: "Oekonomisches Handbuch für Frauenzimmer", Stuttgart 1817.*

Wilhelm Hertigs Kampf um den Erhalt jener bei Stuttgart gelegenen Hochebene, die man „die Filder“ nennt und deren Ackerböden mit einer Bonität von 86 zu den fruchtbarsten der Welt zählen, scheint auf den ersten Blick mit der vorbestimmten Aussichtslosigkeit belastet, welche die ständige Begleiterin so vieler ähnlicher Kreuzzüge ist. Mit einem wichtigen Unterschied allerdings. Wilhelm Hertig streitet auch für seinen eigenen Acker, der ihm ein Leben lang Heimat war und den er seinen Kindern und Kindeskindern so hinterlassen möchte, wie er ihn von seinem Vater bekommen hat.
Vielleicht mag dies manchem – angesichts der latenten Bedrohung durch Super-GAU und sauren Regen und des längst durch Überdüngung aus dem Gleichgewicht gebrachten Bodenhaushalts – wirklichkeitsfern erscheinen, für Wilhelm Hertig ist es Realität.
Er hält sich an die ihm nächste Bedrohung, und das ist die bevorstehende Zubetonierung einer Landschaft, auf der das beste Kraut der Welt wächst. Feinadriges Spitzkraut, das unendlich zarter und wohlschmeckender ist als das gewöhnliche Rundkraut und das man deshalb schon um die Jahrhundertwende bis nach Paris exportierte.
Für Wilhelm Hertig hat dieses breitwurzelnde, kathedralenhaft hochstrebende Filderkraut etwas Symbolhaftes. Es ist für ihn nicht nur Produkt einer Landschaft, deren beste Böden auf der Gemarkung seines Heimatortes Plieningen liegen, sondern zugleich Synonym für eine noch halbwegs intakte Natur.
Wer hier Boden wegnimmt, zehrt nach seiner Meinung an der Substanz eines letzten Restes heiler Welt.

*Wilhelm Hertig – Landwirt in Plieningen*
*Wilhelm Hertig – Farmer in Plieningen*

240 Hektar besten Ackerbodens für die Erweiterung des nahegelegenen Verkehrsflughafens Stuttgart-Echterdingen zu opfern, erscheint ihm, bei allem Anspruch, den die Wirtschaft des Landes haben mag, fast wie ein Frevel. Die Ex-und-hopp-Maxime unserer Konsumgesellschaft mit ihrer sich immer schneller drehenden Schraube von Produktion und Verbrauch ist seiner sparsamen Bauernnatur im Herzen zuwider. Und so führt er mit einem zuweilen alttestamentarisch anmutenden Eifer seit Jahren auf Bürgerversammlungen und Anhörungen, mit Briefen und Eingaben einen unermüdlichen und zähen Kampf um den Erhalt eines kleinen Fleckens Erde, der ihm mehr bedeutet als alles andere auf der Welt. Auch wenn seine Mitstreiter immer weniger werden.

Wilhelm Hertig wurde am 16. Januar 1912 in Plieningen geboren. Sein Vater hatte neben einer kleinen Landwirtschaft auch noch einen Fuhrwerksbetrieb und hat Steine und Langholz gefahren. Plieningen hatte immer schon gute Wälder. Den Haslachwald, den Hattenbachwald und den Karlshofwald. Im Hattenbachwald standen die besten Eichen und höchsten Kiefern. Der Samen der Kiefern wurde weit über Württemberg hinaus verkauft, und wenn in Plieningen Holzverkauf war, kamen die Einkäufer und Sägewerksbesitzer von überallher.
Auch nach dem Ersten Weltkrieg war Plieningen noch eine der reichsten Gemeinden auf den Fildern. 1928, als alles arbeitslos war, konnten es sich die Plieninger leisten, ihre Straße von einem Ende des Ortes bis zum anderen pflastern zu lassen. Sogar die Zeitungen berichteten damals darüber.
1942 wurde Plieningen von Stuttgart eingemeindet, was viele alte Plieninger bis heute noch nicht verwunden haben. Auch Wilhelm Hertig nicht.
Zweimal in seinem Leben wurden in Plieningen die Glocken vom Kirchturm geholt, um Kanonenkugeln daraus zu gießen. Das erste-

mal im Krieg 1914–1918, da war er noch ein kleiner Bub, und der Lehrer hat sie alle zum Zuschauen zur Kirche hingeführt, und das zweitemal, da war er schon Soldat, da hat's ihm die Mutter nach Sizilien geschrieben. Beide Male hat's geschmerzt.

*

1944 wurde Wilhelm Hertig von den Amerikanern gefangengenommen. Die Kriegsgefangenschaft verbrachte er in Texas, in der kleinen Stadt Mayhill, bei einem Bauern namens Cleef, der ihn gerne behalten hätte. Aber auch der beste Lohn konnte Wilhelm nicht halten.
In der Nähe von Mayhill gab es ein Indianerreservat, und die Indianer kamen immer in den kleinen Kaufladen, der von der Tante des Farmers Cleef, die das spanisch-indianische Idiom sprach, geführt wurde. Die Indianer mochten den Wilhelm gut leiden, und einmal kamen sie zu Pferd und zu Fuß und in voller Kriegsbemalung. Mit einem großen Transparent, auf dem stand: „Truman – stop bombing Germany!“ Das war eine Art Freundschaftsbezeugung für Wilhelm und die erste Demonstration, die er gesehen hat.
Als Wilhelm Hertig nach Mayhill kam, war gerade die Heuernte in Gang. Mit Erstaunen hat er festgestellt, daß die Amerikaner viereckige Heuhaufen machten. „Da ist 's Regawasser neigloffa, no han i dene zoigt, wia mr an Heihaufa macht, daß 's Hei trocka bleibt.“ Seitdem machen sie in der Gegend um Mayhill am Fuß der Rocky Mountains die gleichen runden Heuhaufen wie auf den Fildern.
Das Pflügen in Amerika war für ihn etwas völlig Neues. Es gab keine Pflugschar, sondern zehn nebeneinanderliegende Scheiben, mit denen zwar eine große Fläche bearbeitet wurde, aber die Erde nicht in den tiefen, gleichmäßigen Furchen aufbrach, wie er es von zu Hause kannte.
Man hat auch den Acker nicht voll ausgepflügt. „Do ischt emmer no a Stückle blieba, mo zwoi, drei Johr alts Gras drufgstanda ischt.“ Der Wilhelm hat das Stückle, eine Fläche von fünf Hektar – „recht viel mehr hot mei Vattr au net ghät!“ –, immer bis ins Eck ausgepflügt. Seither gab es, nicht nur auf der Farm der Cleefs, keine brachliegenden Ecken mehr. Wo immer Wilhelm hinkam, auch später in England, nirgendwo konnte er feststellen, daß man den Acker mit der Liebe und Sorgfalt bearbeitete wie daheim auf den Fildern in Plieningen.

Die Geschichte Plieningens erfüllt ihn mit Stolz, und, wenn er an das heutige Plieningen denkt, auch mit Trauer. Manchmal möchte er die Zeit heraufbeschwören, in der Plieningen als einzige Fildergemeinde das Marktrecht hatte und es nicht nur 22 Wirtschaften gab – fünf davon mit Einstellmöglichkeiten für Pferde –, sondern neben den Bauern auch noch 80 Leinenweber. Dazu 6 Bäcker, 6 Metzger, 4 Barbiere, 6 Schmiede, 4 Wagner, 11 Schuhmacher, 9 Schneider, 3 Zimmerleute, 2 Maurer, 3 Schreiner, 2 Glaser, 2 Küfer und 2 Trödler. Das Marktrecht mit Krämer-, Vieh- und Schweinemarkt war Plieningen 1728 zuerkannt worden. Noch 1909 gab es einen Viehauftrieb mit 308 Stück Vieh.
Trotz des Reichtums, den Plieningen einmal kannte, hat man nichts verkommen lassen. „Dr Bauer isch immer scho sparsam gwesa. Jeds Stückle Holz vom Bach hot mer aufghoba ond mit hoimgnomma. Selbst 's Spülwasser mit de paar Fettauga hot no sei Guats ghet ond isch naus in Stall bracht worda zum jüngsta Schtückle Vieh.“
Eine in unserer Zeit des programmierten, wenn auch ungleich verteilten Überflusses fast archaisch anmutende Sparsamkeit. Aus einer anderen, längst vergangenen Welt, in der im Umgang mit der Natur sich Geben und Nehmen noch die Waage hielten.

Wilhelm Hertig's fight for the preservation of that plateau near Stuttgart which is called *the Filder* and which has one of the most fertile soils in the world, seems at first sight to have all the signs of futility that is the trademark of so many similar crusades.

There is one difference, however. Wilhelm Hertig fights for the soil that has been home to him for a lifetime und which he wants to hand down to his children and grandchildren as it was handed down to him by his father. Maybe this is, at a time when fallout and contamination threaten our world everywhere, the truly unrealistic element of his fight. Wilhelm Hertig does not see it that way. To him the most eminent threat is the threat nearest. And that is the planned extension of nearby Echterdingen airport for which 600 acres of Filder area will be needed.

On the *Filder,* which might best be translated as "the fields", grows the world's best cabbage. Tall and finely ribbed, of conical shape with a snowwhite heart, it has a taste far superior to that of the ordinary round cabbage. For Wilhelm Hertig, this highrising *Filderkraut* is something of a symbol. For him it is not a mere agricultural product but a synonym for nature.

Whoever takes acreage away from that area reduces the substance of one of the last corners of an intact world.

To have to give away 600 acres for the extension of nearby Echterdingen airport, even considering the economic necessities behind it, is to Wilhelm Hertig a sacrilege.

*

The rat-race principles of our modern society, with its ever faster turning spiral of production and consumption, are thoroughly distasteful to his thrifty almost austere nature. For years he has been leading a dogged fight with a zeal that occasionally reminds one of the Old Testament. In meetings and hearings, with letters and appeals to no end, all for a piece of land that means more to him than anything else on earth.

Wilhelm Hertig was born on January 16th, 1912. His father, apart from farming, also hauled stones and timber for the community. The woods around Plieningen had the best firs and oaks for miles around. Buyers came from all corners of Württemberg to buy their oak at Plieningen. Even after World War I, Plieningen was one of the richest communities in the area. In 1928 at the height of the recession, Plieningen was the only village of the Filder which could afford to have its main street cobblestoned. In 1942 Plieningen became a part of Stuttgart, against which many old Plieningers, including Wilhelm Hertig, still hold a grudge to this day.

Twice in Wilhelm's life the church bells were taken down in order to make cannon balls. The first time, during the 1914–1918 war when he was a little boy, and the second time in 1942, when he was a soldier. "It hurt both times", he says.

In 1944 Wilhelm became a prisoner of war and spent the rest of the war in Mayhill, Texas, working as a farmhand for a Mr. Cleef. Nearby was an Indian reservation, and one day the Indians, who had taken a liking to Wilhelm, came by in full war-paint, carrying a big sign, which said: "Truman stop bombing Germany". That was the first demonstration Wilhelm ever saw.

Wilhelm and his fellow farmers had always dealt sparingly with nature's gifts. The smallest piece of stray wood found at the village creek was taken home and put to some use and even the dishwater with its small amout of fattening residue was taken out to the small suckling pigs. In our times of programmed, if unequally distributed surplus, an almost archaic thriftiness. From another long forgotten world, where, when man dealt with nature, he gave back what he took.

Pfeffer

# Maultaschen

Nudelteig:
3 Eier, etwas Salz
je Ei eine halbe Eischale Wasser
360–400 g Weizenmehl

Die Eier mit etwas Salz und dem Wasser verquirlen. Das Mehl in eine Schüssel sieben, in der Mitte eine Vertiefung formen und die Eier hineingießen. Alle Zutaten von der Mitte her vermischen, aus der Schüssel nehmen und den Teig auf dem Backbrett so lange kneten, bis er beim Durchschneiden kleine Löchlein zeigt. (Der Teig kann auch in der Küchenmaschine geknetet werden.)
Je nach Beschaffenheit des Mehles evtl. noch etwas Wasser oder ein Eiweiß unterkneten. Der Teig darf jedoch nicht zu weich sein. Eine Kugel formen und mit einem erwärmten Schüsselchen bedecken und ruhen lassen, währenddessen die Füllung zubereiten:

400 g frischer Spinat
Salzwasser
20 g Speckwürfel, 20 g Butter
1 kleine Zwiebel, fein gehackt
1 Bund Petersilie, fein gehackt
3–4 trockene Brötchen, Rinde abgerieben
150 g gekochter Schinken oder kalter Braten, würfelig geschnitten
250 g Bratwurstbrät oder Hackfleisch
2–3 Eier
je 1 Prise Salz, Pfeffer und Muskat
kochendes Salzwasser oder Fleischbrühe

Den Spinat gut putzen, waschen und in kochendem Salzwasser kurz blanchieren. Kalt abschrecken, abtropfen lassen und nicht zu fein hacken. Die Speckwürfel in Butter anschwitzen, Zwiebelwürfelchen und Petersilie mitdünsten und abkühlen lassen. Die altbackenen Brötchen einweichen, gut ausdrücken und zerpflücken. In einer großen Schüssel diese Zutaten mit dem Schinken und dem Brät vermischen, die Eier unterarbeiten und mit Salz, Pfeffer und Muskat würzen. (Wenn Hackfleisch verwendet wird, so sollte dieses mit den Speck- und Zwiebelwürfelchen so lange gedünstet werden, bis es eine graue Farbe hat.)
Den Nudelteig portionsweise auf einer bemehlten Unterlage auswellen (ausrollen) – entweder in längliche, etwa 20 cm breite Streifen oder in runde Nudelflecke. Die Füllung gleichmäßig auf eine Hälfte der Teigstreifen streichen oder kleine Häufchen aufsetzen, die unbestrichene Teighälfte darüberklappen, den Teig gut andrücken und so verfahren, bis alles verbraucht ist.
Nun nicht zu große Recht- oder Vierecke davon abrädeln, in strudelndes Salzwasser oder Fleischbrühe einlegen und je nach Größe ca. 10 bis 15 Minuten darin ziehen, nicht kochen, lassen.
Die fertigen Maultaschen können in der Brühe serviert werden: mit gerösteten Semmelbröseln und Petersilie oder mit Zwiebelringen. 20 g Butter zerlassen, 2 Eßlöffel feine Semmelbrösel darin leicht anrösten sowie einen Bund Petersilie klein hacken und darüber anrichten.
Oder eine in feine Ringe geschnittene Zwiebel in Butter braun braten und über die Maultaschen geben. Dazu schmeckt ein „schlonziger“ Kartoffelsalat, das ist ein relativ nasser Kartoffelsalat, angemacht mit fein gehackter Zwiebel, Salz, Pfeffer, guter Fleischbrühe und vielleicht auch etwas Kochwasser von den Maultaschen, Essig und Sonnenblumenöl.
Übriggebliebene Maultaschen können am nächsten Tag, in daumendicke Streifen geschnitten, in Fett angebraten werden. Eier mit etwas Milch verrühren, darübergießen und stocken lassen. Mit gehackter Petersilie bestreuen. Dazu schmeckt grüner Salat oder Kartoffelsalat, vermischt mit Endivienstreifen.

# Stuffed noodles

| Noodle dough: |
|---|
| 3 eggs, a pinch of salt |
| for each egg half an eggshell water |
| 1½–1¾ cup wheat flour |

Mix eggs with salt and water. Sift flour into a bowl, make a hollow in the middle and break eggs into it. Blend all ingredients starting from the middle, take out of bowl and knead dough on a board until air pockets can be seen when dough is cut. (Dough can also be kneaded with dough mixer.) Depending on composition of flour (the dough may be too thick), add a little water or an egg-white. Dough shouldn't be too soft. Form a ball, place on a board, cover with cloth or a dish, and allow to rest; meanwhile prepare filling:

| 14 oz. fresh spinach |
|---|
| saltwater |
| 1½ tbsp. diced bacon |
| 1½ tbsp. butter |
| 1 small onion, finely chopped |
| 3–4 stale rolls, crust removed |
| 5 oz. ham or cold meat, diced |
| 9 oz. sausage meat or ground meat |
| 2–3 eggs |
| a pinch each: salt, pepper and nutmeg |
| boiling saltwater or meat broth |

Clean spinach well, wash and blanch it briefly in boiling saltwater. Rinse with cold water, let drain and chop (not too fine). Braise bacon in butter for a short time, add diced onion and parsley, braise again and let cool. Soak stale rolls in water until soft, press water out well and pull to pieces. In a big bowl mix these ingredients with ham and sausage meat, fold in eggs and season with salt, pepper and nutmeg. Taste meat mixture – season again if required. (When using ground meat, braise it together with bacon and diced onion until it becomes grey in color.) On floured kitchen table or board roll out noodle dough in portions – either in elongated strips of about 8 inches breadth or in rounds. Spread filling evenly on one half of strips or put on little heaps, fold over other half of strips and press edges of dough together. Do so until all filling is used up. Now cut into not too big rectangles or quadrilateral rectangles using a cookie-cutter, put in boiling saltwater or meat broth and let simmer (not boil) for about 10–15 minutes depending on size.

The ready cooked *Maultaschen* can be served in broth with toasted bread crumbs and parsley or with onion rings: melt 1 tbsp. of butter, toast 2 tbsp. of bread crumbs as well as 1 bunch of finely chopped parsley in it and garnish soup.

Or, slice an onion and fry the rings in butter until brown and serve over soup. Maultaschen are also good with Swabian potato salad, dressed with good meat broth, finely chopped onion, salt, pepper and – if available – some cooking water from *Spätzle,* vinegar and oil.

If there are any *Maultaschen* left over, they can be used the next day. Cut *Maultaschen* in one inch slices, fry in fat, add eggs with some milk (slightly beaten), let thicken. Sprinkle with chopped parsley. Good served with some lettuce or potato salad with endive strips.

Sein Arbeitszimmer mit den vollgestopften Bücherborden und den vielen kleinen Erinnerungsstücken jahrzehntelangen Schaffens hat etwas ebenso Studierstuben- wie altfränkisch Poetenhaftes. An den Wänden Studentenpfeifen und Wappenteller, auf den Simsen Bierkrüge, Hirschgeweihe, Zinngefäße; überall Bilder und Fotos. Die größten zeigen die beiden Dackel Fetz und Moritz.
Zwei exotische Masken, eine afrikanische und eine indonesische, harmonieren auf seltsame Weise mit einem reichgestalteten ornamentalen Bücherschrank, den sein Vater kurz nach dem Zweiten Weltkrieg geschnitzt hat. Auf dem Sims des Bücherschrankes das Familienwappen: Zirkel, Winkel, Auge, Ohr und ein geharnischter Schwertarm. Die einzig neuzeitlichen Requisiten sind eine Schreibmaschine und ein überdimensionaler Kassettenrecorder.
Über ein Orangenbäumchen am Fenster geht der Blick auf die stille Tübinger Brunsstraße und eine gegenüberliegende Gründerzeitvilla inmitten eines schönen alten Gartens. Hier lebt Heinz-Eugen Schramm seit über fünfzig Jahren. Geboren wurde er in Ulm am 22. Dezember 1916. Er kam aber schon als Wickelkind, wie er sagt, nach Tübingen und sei demnach ein echter Tübinger.
Das Elternhaus war bürgerlich. Der Großvater, ein aus dem Sächsischen zugezogener Wappenmaler, unterhielt vor dem Ersten Weltkrieg einen Handwerksbetrieb mit bis zu zwanzig Beschäftigten: Glas- und Porzellanmalern, Zinngießern und Graveuren. Seine Kundschaft waren Verbindungsstudenten.
Im großväterlichen Haus wurde eine Mischung aus Sächsisch und Thüringisch gesprochen. Die Großmutter kam aus Thüringen. Sie und ihre Thüringer Kartoffelklöße (Hütes) hat Heinz-Eugen Schramm heute noch in liebevollster Erinnerung. Im elterlichen Haus sprach man Honoratiorenschwäbisch und – die beiden Dienstmädchen, die Martha aus Bondorf und d' Luise aus Deufringen – breitesten Dialekt.
Da der Heinz-Eugen Schramm zudem schon als Bub bei Botengängen für den großväterlichen Betrieb viel in studentische Korporationshäuser kam – man schätzte dort die vom Großvater hergestellen handbemalten Bierkrüge mit den gravierten Zinndeckeln –, entwickelte er schon sehr früh ein ausgeprägtes Sprachempfinden. Es dauerte dann aber doch bis zum Zweiten Weltkrieg, bis er sein erstes Gedicht schrieb.
Wie Vater und Großvater sollte Heinz-Eugen Schramm Wappenmaler werden und legte auch 1935 seine Gesellenprüfung ab. Sein Gesellenstück, das Familienwappen, gemalt auf einem Porzellanteller, hängt heute noch in seinem Arbeitszimmer.
Aber es kam dann doch alles ganz anders. 1939 zog er mit dem Notabitur wie seine Altersgenossen in den Krieg. Im Dezember 1941, vierzig Kilometer vor Moskau, auf dem Höhepunkt der Rußland-Offensive, bekam er Fleckfieber. Den Rückzug erlebte er fieberkrank, halb liegend – „Oba ben i über dr Feldküch g'lega, ond onta send meine Füaß g'loffa, daß i net verfrora ben!" –, halb sich dahinschleppend. In Stettin im Kriegslazarett war er der erste Fleckfieberpatient überhaupt, den man dort durchbrachte. Der Stabsarzt umarmte ihn vor lauter Freude, was für Stabsärzte sicher ungewöhnlich war. Im März 1942 wurde er entlassen und kam nach Frankreich zur Genesung. Dort, in Burgund, entstanden seine ersten Mundartgedichte: „D' Liebe goht durch da Maga" und „Vom Kusse". Mittlerweile sind unzählige Gedichte, Limericks, Essays, philosophisch humorvolle Betrachtungen wie „Schwäbisch für Reingschmeckte", „Schwaben, wie es lacht" und „Typisch schwäbisch" entstanden. Insgesamt 22 Buchveröffentlichungen! Seit 1984 ist Heinz-Eugen

*Heinz-Eugen Schramm – Doktor der Philosophie und Mundartdichter in Tübingen.*

*Dr. phil. Heinz Eugen Schramm, Doctor of Philosophy and Poet in Tübingen.*

Schramm als Nachfolger von Karl Götz überdies Herausgeber des „Schwäbischen Heimatkalenders".

Die Mundartlyrik von Heinz-Eugen Schramm erinnert manchmal in ihrer Dichte und Bildhaftigkeit an den großen oberschwäbischen Mundartdichter Sebastian Sailer. Ihm und dem oberschwäbischen Oberamtsarzt Michael Buck, über dessen Mundartgedichte „Bagenga" er 1952 bei Professor Hugo Moser promovierte, fühlt er sich besonders verbunden. Bei ihnen fand er, was er im Altwürttembergischen nicht finden konnte: die befreiende, unbefangene Derbheit der Sprache.
Diese Liebe zum Derb-Bildhaften hängt sicherlich nicht zuletzt damit zusammen, daß er mit den Gogen-Witzen, den deftigen Anekdoten der Tübinger Wengerter, aufgewachsen ist.
Dieser früher in der unteren Stadt angesiedelte, inzwischen nahezu ausgestorbene Menschenschlag, dem man eine Art Haßliebe zu den Professoren und Studenten nachsagte, hat einen Witz hervorgebracht, der in seiner Urigkeit und Derbheit bei gleichzeitig höchster Prägnanz selbst im Schwäbischen seinesgleichen sucht.
Den Unkundigen überrascht dabei die Vielzahl der Witze, die mit der Verdauung oder anderen elementaren Funktionen des menschlichen Körpers zu tun haben. Dr. Bob Larson, der in Stuttgart ansässige, mit einer Schwäbin verheiratete amerikanische Verbindungsoffizier, hat in seinem Buch „Your Swabian Neighbours" mit Erstaunen festgestellt, daß in der Gogenwitz-Sammlung allein 63 Witze von „pissing, shitting, farting and puking" handeln. Im Schwäbischen durchaus achtbare Worte, die man gelegentlich auch bei öffentlichen Anlässen hören kann, so als der Ministerpräsident des Landes bei einer Gala des Stuttgarter Kochkollegs vom schwäbischen Kartoffelsalat unter tosendem Applaus sagte, er müsse „genau zwischa soichnaß und furztrocka" sein.

1961 hat Heinz-Eugen Schramm die „Götz von Berlichingen Academie" gegründet, deren erklärtes Ziel die Erforschung und Pflege des schwäbischen Grußes ist. Vorausgegangen war im Oktober 1960 die Veröffentlichung seines L.m.i.A.-Buches mit einem Aufruf des Verfassers an seine Leser, ihm weitere Belege für das Götzzitat als Abwehrzauber in Weltliteratur, Musik und bildender Kunst, in Volksbrauch, Sage, Rechtsprechung und Alltagspraxis zuzusenden, was eine derart umfangreiche Korrespondenz auslöste, daß schon im Frühjahr eine – wenn auch nur lose – organisatorische Zusammenfassung der Korrespondenten nahelag. Inzwischen hat die Akademie weltweit achthundert Mitglieder, denen das Götzzitat Symbol einer Lebensphilosophie und nicht zu unterschätzendes Ventil für seelische Verkrampfungen und Spannungen ist.

*

Von Statur eher klein und von scheinbar fragiler Konstitution, ist Heinz-Eugen Schramm zäher, als es den Anschein hat. Mit seinen mittlerweile 71 Jahren ist er springlebendig, mobil, knitz, immer zur schnellen, lustigen Sprache aufgelegt. Er führt dies auf seine sächsischen Vorfahren zurück: „I merk genau de Sachsa en mir. Des isch mir au scho g'sagt worda. Se glaubet mir net immer de Schwobe, der isch bedächtiger."
Bei aller Liebe zur Derbheit in der Sprache ist er doch so etwas wie ein Romantiker und mag das Gemütvolle. Kerzen zum Beispiel. „Manches Mol, wenn i an was romdenk, und i han a Kerz vor mir, wo d' Flamm a bißle umananderwackelt, na kommt's besser, des isch ebbes Lebendiges für mi." Auf die Frage, wie es denn nun richtig heiße, leck mich am ... oder leck mich im ..., meint er, das sei ganz nach Belieben:

*Ihr könnt das jetzt braten wie sieden.*
*Das Götzwort schafft seelischen Frieden.*
*Und fragt wer intim:*
*„Heißt's am oder im?"*
*Da sind die Geschmäcker verschieden.*

His study, with ceiling-high book shelves crammed full of books and mementos of over forty years of work, has an old-fashioned quaintness about it. On the walls hang long-stemmed pipes and heraldic plates, over the doors there are beer mugs and antlers. Pictures and photos everywhere, the largest one of the two Dachshunds Fez and Moritz.
Two exotic masks harmonize strangely with an ebony cabinet his father made in 1919. The only modern objects in the room are a typewriter and a cassette recorder like the ones that rock fans carry around with them. Through the foliage of a little orange tree on the window sill, one can see the quiet Brunsstraße below, and across the street a magnificent Victorian mansion.
Here on this street, in the house next door, Heinz Eugen Schramm grew up some seventy years ago. He was born in Ulm on the 22nd of December, 1916. But he came to Tübingen "in his cradle", as he says, and therefore considers himself to be a true Tübinger. His childhood home was burgeois. Grandfather came from Saxony as a heraldic painter, and opened a little factory employing 20 painters, engravers and pewtersmiths. In his grandfather's home a mixture of Saxonian and Thuringian was spoken. Grandmother came from Thuringia. She and her Thuringia "Klees" dumplings are among his fondest childhood memories.
In his parents' house, they spoke an upperclass Swabian, though the 2 maids, Luise and Martha, spoke in the broadest dialect of that area. Through visits to the homes of Tübingen university professors, mostly North Germans, to deliver his grandfather's painted beermugs, little Eugen soon developed a keen sense for idioms. But it took until World War II for him to write his first poems.
In 1939 he was drafted and sent to Russia. There, in 1940, forty kilometers from Moscow, he caught spotted fever. All during the retreat he was ill, he half lay on a field kitchen and dragged his feet along so that they would not freeze off. In Stettin he was the first patient ever at the military hospital to survive spotted fever. It was during his recuperation in France that he wrote his first poems. Since then he has written numerous poems, limericks, humorous essays, an anthology of jokes from the Tübingen winegrowers the "Gogen", and his famous "Götz von Berlichingen-Kiss my ass" anthology. Heinz Eugen Schramm's dialectal lyric reminds one of the great Swabian poet Sebastian Sailer. Schramm sees Sailer and the Upper Swabian poet Michael Buch, on whose "Bagenga" poems he did his doctorate in 1952, as his poet-fathers. In them he found what he could not find in Altwürttemberg, a refreshingly earthy almost arachaic language. His love of coarse jokes has also to do with the fact that he grew up with the "Gogen", the Tübingen winegrowers whose sense of humor is, to say the least, broader than broad. Dr. Bob Larson, US Forces liasion officer in Stuttgart who is married to a Swabian, marvelled in his book *Your Swabian Neighbors* at the fact that in Dr. Schramm's anthology of Tübingen Gogen jokes, no less than 63 have to do with urination, defecation, flatulation and inverse peristalsis, or in plain English, pissing, shitting, farting and puking. (Words which perhaps shock us, but are not unusual in the Swabian vocabulary.) In 1961 Dr. Schramm founded the "Götz von Berlichingen Academy", an assembly of 800 worldwide correspondents, who contribute and meet regularly only on the one subject, the preservation of that famous greeting, known also as the Swabian greeting, "Kiss my ass", which is attributed to the Franconian knight Götz von Berlichingen.

Dr. Schramm, a rather smallish man who at first sight seems to have a fragile constitution is tougher than he appears to be. At seventy-one he is as mobile und quickwitted as ever. Always good for a quick repartee, he attributes this to his Saxon ancestry. "The Swabian in me", he says, "is slower."

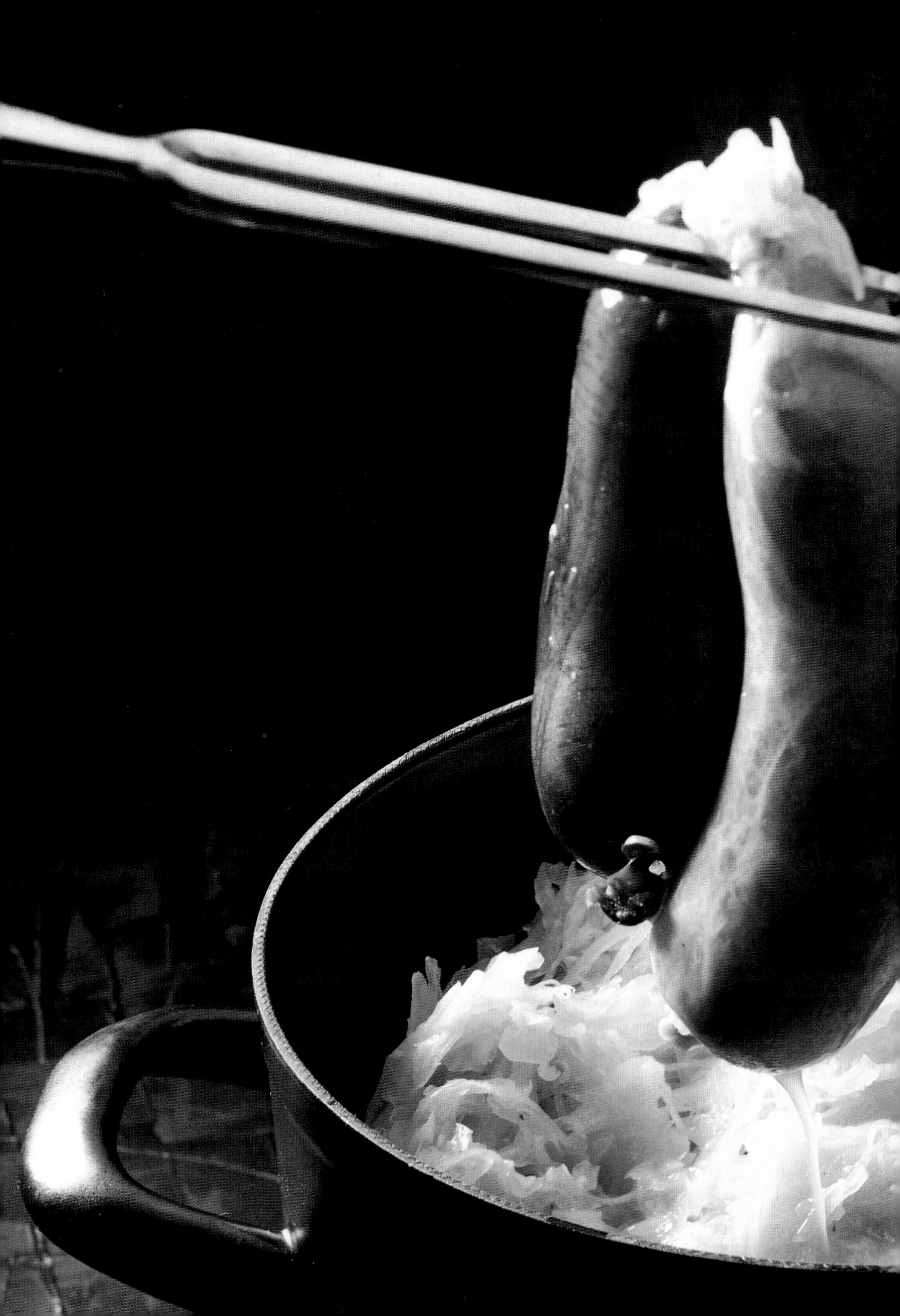

## Sauerkraut mit Kesselfleisch und Leber-/Griebenwurst*

| |
|---|
| 500 g Schweinebauch, -bug oder -hals, auch halbierter Schweinskopf oder Häxle |
| 1/2 l Fleischbrühe |
| 1 Zwiebel, grob zerschnitten |
| 1 kg frisches Sauerkraut (Filderkraut) |
| 50–60 g Schweineschmalz |
| evtl. einige Schinkenabschnitte |
| 1 große Zwiebel, fein geschnitten |
| 1 Kartoffel |
| Wacholderbeeren oder Kümmel |
| 2–3 Lorbeerblätter |
| Apfelsaft oder Weißwein zum Angießen |

Das Fleisch waschen, in daumendicke Scheiben schneiden, in die mit Zwiebelstücken angereicherte Brühe einlegen und ca. 40–50 Minuten sanft kochen. Das Fleisch aus der Brühe nehmen, einen Viertelliter der Brühe für das Kraut weiterverwenden.
Das Sauerkraut etwas kürzer schneiden. In einem innen emaillierten Topf das Schmalz zerlassen, Schinkenstückchen oder Speckwürfel und Zwiebelwürfel darin glasig werden lassen. Das Kraut zugeben, etwas angehen lassen und mit Fleischbrühe angießen. Die Kartoffel schälen, fein reiben und unter das Kraut mischen. Je nach Geschmack Wacholderbeeren und Lorbeerblätter oder nur Kümmel zugeben. Die Fleischscheiben auf das Kraut legen, den Deckel schließen und das Kraut auf kleiner Flamme ca. 2 bis 3 Stunden kochen. In regelmäßigen Abständen das Kraut etwas auflockern, Apfelsaft oder Weißwein zugießen – Kerner eignet sich gut, aber auch ein Riesling ist empfehlenswert.
Wird das Kraut ohne Kesselfleisch gekocht, zur Geschmacksabrundung einen Apfel in Stückchen unter das Kraut mischen.
Kesselfleisch mit Senf und Pfeffer servieren.

** Griebenwurst-Rezept S. 44*

## Leberwürste

| |
|---|
| 750 g frisches, durchwachsenes Schweinefleisch |
| 250 g fetter, ungeräucherter Speck |
| 11/2–2 l Wasser, 1 Eßl. Salz |
| 1 Spickzwiebel (mit 4 Nelken) |
| 2 Lorbeerblätter |
| einige Pfefferkörner, zerdrückt |
| 500 g frische Schweineleber |
| 1 geriebene Zwiebel |
| Salz und frischgemahlener Pfeffer |
| 1 Teel. gerebelter Majoran |
| je 1/2 Teel. Piment und Thymian, gemahlen |
| gereinigte Schweinedärme |

Das Schweinefleisch etwa 45 Minuten, den Speck ca. 20 Minuten in dem mit Spickzwiebel und Gewürzen versehenen Salzwasser kochen. Die Leber häuten, putzen (Adern entfernen) und in Scheiben schneiden. In ein Sieb legen und einige Male in die kochende Brühe eintauchen, insgesamt etwa 3 bis 4 Minuten.
Das Fleisch und die Leber durch den Fleischwolf (feine Scheibe) drehen, den Speck sehr klein würfeln. Alle Zutaten in eine Schüssel geben und soviel durchgesiebte Kochbrühe zugeben, bis eine dickflüssige Masse entsteht. Sollte die Masse zu dünn geraten, so können 2 bis 3 altbackene Brötchen (die Kruste abreiben, in feine Scheiben schneiden, kurz mit heißem Wasser befeuchten und ausdrücken, dann zerrupfen) untergemengt werden. Die geriebene Zwiebel und die Gewürze zufügen, gut abschmecken. Die Wurstmasse in gutgereinigte Därme (kann man im Fleischereibedarfsgeschäft bekommen) drei Viertel hoch einfüllen und die Würste abbinden. Mit einer Stopfnadel mehrmals einstechen und in leicht gesalzenem Wasser oder in der Metzelsupp (Siehe S. 60) bei 80° C in ca. 30 bis 45 Minuten garen.

# Sauerkraut with boiled pork liver and blood sausages*

| |
|---|
| 1 lb. lean unsmoked bacon, pork shoulder, neck or possibly half of hog's head or pig's knuckles |
| 1/2 qt. broth |
| 1 onion, coarsely chopped |
| 2 lbs. fresh Sauerkraut |
| 3–4 tbsp. lard |
| optional: some ham trimmings or diced bacon |
| 1 big onion, finely chopped |
| 1 potato |
| juniper berries or caraway-seed |
| 2–3 bay leaves |
| apple juice or white wine |

Wash meat, cut into one inch thick slices, and place in broth with onion pieces, and cook gently for about 40–50 minutes. Take meat out of broth, put aside and use part of broth to cook Sauerkraut.

Melt lard in an enameled pot, cook ham trimmings or diced bacon together with diced onion until translucent. Add Sauerkraut, cook briefly and pour meat broth over it. Peel potato, grate finely and add to Sauerkraut. According to taste add juniper berries and bay leaves or caraway seeds only. Lay meat on top, cover with lid and cook for 2 to 3 hours on low heat. At regular intervals loosen Sauerkraut with a fork. Add apple juice or dry white wine, preferably a German Riesling. If Sauerkraut is cooked without pork, add an apple, cut in little pieces, to smoothen taste.

Serve boiled pork with mustard and pepper.

* Recipe blood sausages p. 44

# Liver sausages

| |
|---|
| 1 1/2 lbs. fresh marbled pork |
| 1/2 lb. fat unsmoked bacon |
| 1 1/2–2 qt. water, 1 tbsp. salt |
| 1 onion studded with 4 cloves |
| 2 bay leaves |
| some peppercorns, crushed |
| 1 lb. fresh pork liver |
| 1 grated onion |
| salt and freshly ground pepper |
| 1 tsp. ground marjoram |
| 1/2 tsp. each: ground pimento and thyme |
| cleaned sausage casings |
| For cooking: |
| slightly salted water or *Metzelsupp* (p. 61) |

Cook pork in saltwater together with onion and spices for about 45 minutes, cook bacon for about 20 minutes. Skin liver, clean and devein and cut in slices. Lay in sifter and dip in cooking broth several times for about 3 to 4 minutes. Mince pork and liver with meat grinder (use fine blade), dice bacon very small. Put all ingredients in a bowl and add strained cooking broth until a syrupy mixture forms. If mixture should turn out too thin, fold in 2 to 3 stale rolls (grate off crust, cut in thin slices, moisten shortly with hot water and squeeze, then pull to pieces). Add grated onion and spices, flavor well. Fill with three quarters of sausage mixture thoroughly cleaned sausage casings (you can get them in the butcher's shop) and tie sausages up.

Puncture several times with a needle and cook in salted water or in *Metzelsupp* (see p. 61) for about 30 to 45 minutes at 350° F. From time to time push sausages under surface, so that they cook evenly.

Es dürfte unter den Metzgern zwischen Böblingen und Herrenberg wohl kein größeres Schlitzohr geben als den Roller Karle von Kuppingen. Der Karle, der nebenher noch Gastwirt ist, ist nicht nur weithin bekannt wegen der mitunter recht haarigen Geschichten, die er zu erzählen weiß, sondern vor allem wegen seines Mittels gegen Kopfweh.
Es ist kein Kopfwehmittel, das man einnimmt oder mit dem man sich einreibt, sondern eines, das man im Hosensack mit sich trägt. Der Karle schwört darauf, es tät todsicher helfen: „Ma muaß bloß dra glauba."
Da sei einer gewesen namens Michelberger, ein Metzger vom Bodensee, der schon vor 150 Jahren gestorben sei, dessen Urenkelin – „Bei dera han i Hausschlachtung g'macht" – habe dem Karle erzählt, daß der Großvater erzählt habe: „Der Vatter häb immer ebbes in der Tasch g'het vo re' Sau, da häb der nia Kopfweh kriegt. Des sei a Knöchle gwea, des häb ausgseha wie a Totekopf." Und dem Urgroßvater habe dies ein buddhistischer Mönch gezeigt und gesagt, man müsse nur fest daran glauben, dann tät's auch helfen.
Nach langem Suchen ist der Karle auf ein winziges Innenohrknöchle gestoßen, das für dass Gleichgewichtsempfinden wichtig ist und ein wenig aussieht wie ein Totenkopf. Und so macht der Karle seit etlichen Jahren bei jeder Sau, die er schlachtet, dieses Knöchle raus und verschenkt es an Freunde und Bekannte in aller Welt – „ond koiner hat meh Kopfweh seitdem".

*

Der Roller-Karle ist Jahrgang 1930 und ein gebürtiger Kuppinger. Die Rollers sind schon seit 330 Jahren in Kuppingen seßhaft. Als Metzger in der neunten Generation. Fast in jeder Generation waren wenigstens zwei Metzger.
Der Karle und sein Bruder sind Metzger, sein Vater und dessen Bruder waren Metzger, beim Großvater war es ebenso, und die beiden Söhne vom Karle sind auch Metzger.
Die Rollers kamen ursprünglich aus dem Hohenzollerischen, aus der Gegend um Balingen, wo es heute noch eine Gerber- und eine Kupferschmiedlinie gibt.
Der Großvater hatte noch eine Landwirtschaft dabei, erst der Vater hat die Gastwirtschaft übernommen.
Der Karle ist fest davon überzeugt, daß er einmal arm sterben wird, denn: „Der Urahn hot an Krieg verlora, gega da Pfalzgraf vo Tübinga, ond do sent mir 1643 bürgerlich worda, ond desweage nehm i an, daß i amol arm sterba werd, weil i a blaus Bluat han, ond dia sterbat doch älle arm."

Der Karle ist im Krieg aufgewachsen. Und da seien auch alle arm dran gewesen, meint er. Das Interessanteste war für ihn damals das Schwarzschlachten bei den Bauern. Morgens um fünf, im Stall, oder auch im Keller. Der Karle war damals gerade elf, zwölf Jahre alt.
Seine erste Sau hat er mit dreizehn geschlachtet, schwarz natürlich, und ganz allein, ohne jede Hilfe. Er hat auch vorher schon als „Kloiner" mithelfen müssen, denn: „Mir hend koine Gsella g'het ond hend au no für Affstätt ond Haslach (zwei Nachbargemeinden) mitschlachta müassa."
Geschlachtet wurde mit der Axt, nicht mit dem Schußapparat. „Dia Munitio, wo ma kriagt hot, de hot ma braucht zom Schwarzschlachta."
Wenn normal geschlachtet wurde, durfte die Sau auch mal „grilla" (kreischen), aber beim Schwarzschlachten gab's dies nicht. Hinterm Haus wurde die Sau dann gebrüht, und das hat halt gedampft. „Desweaga hot voram Haus d' Bäure an Wäschkessel hingschtellt ond g'wäscha, damit ma's et so merkt."

*Karl Roller – Metzgermeister und Wirt in Kuppingen.*

*Karl Roller, butcher and innkeeper in Kuppingen.*

An das Kriegsende hat der Karle keine guten Erinnerungen. Einen Tag war er in Gefangenschaft in Kuppingen. „Da hend me d' Franzosa kassiart. I han mei Metzgerblus aghet, ond da war a klois bißle Bluat drauf, sonscht war se sauber. On da han i a paar Gwehr abgliefert, vom Vatter, ond do hend dia mi nemme ronterlassa vom Rathaus. Ond no, wia's halt war, auf'm Portmaneh han i en Sowjetschtern g'het, vom a russischa Gfangena. Ond mei Vatter hot g'sait, 's Geld wird eigschteckt, ma woiß nia, brennts Haus ab, ond da han i a scheene Beig Geld im Portmaneh g'het. Da hend dia mi g'frogt, was des wär, ond da han i g'sait – moi Boucher – ond da hend dia mit mir Franzeesisch g'schwätzt, ond da bin i natierle nemme mitkomma, ond do hend se me draußa verschlaga. Do ben e am Scheunetor g'lehnt, ond jeder, mo vorbeikomma ischt, hot me mit 'm Gwehr in d' Rippe neighaua. A Spioh, hend s g'sait, wär i; d' Franzosa hend nämlich grad Siegesfeier g'het ond hend Wei g'soffa. Dia hend Räusch g'het wia d' Säu, ond i war's Opfer."

Die Frau vom Karle meint, am besten wäre es, er wär immer in der Wirtschaft, denn: „Er ka d' ganz Wirtschaft unterhalta." Die Wirtschaft tät man deshalb auch „'s Theaterstüble" nennen, und der Karl fügt hinzu: „Bei ons därf ma älles macha, was ma e'ma Lokal net mache därf. Da kennet se senga ond Akkordeon spiela, was se wället."

Der Karle sieht zwar seine Gastwirtschaft mehr als Vesperwirtschaft, trotzdem, am Dienstag gibt's Metzelsupp' mit Kesselfleisch, Öhrle, frischer Leber- und Griebenwurst, am Mittwoch Gaisburger Marsch, am Donnerstag Maultaschen und am Freitag Braten und Salat. Vesper gibt's auch.

Der Karle selbst vespert am liebsten Kronfleisch, im Schwäbischen auch Kräh genannt, frisch aus dem Sud, oder ein Briesle. Und da hat er natürlich eine seiner Geschichten parat: „Da isch a Briesle amol bei 'ma Baura im Kamin g'hängt. So groß wie a Runkelrüab. Ond dr Kaminfeger hot da sauberg'macht ond hot denkt, ha, des ist a Rauchfloisch, des wird g'fressa. Weil er Honger g'het hot. Ond da hot er des ganze Schtück rontag'haua. Ond wo er rontakomma ischt, hot em de Bäure a Vesper abota.

„Oh, Bäure, also des tuat mr jetz leid, i han's eigentle gar it saga wolla, aber i ka's it für mi b'halta. I han des Rauchfloisch g'essa, im Kamin doba."

„Oh, om da Hemmels willa", sait do d' Bäure, „des hättet Se net do dirfa, des war der Kropf vo onsem Großvatter, den hend mir ins Kamin g'hängt, daß dr Blitz net eischlägt."

In der Gastwirtschaft vom Roller-Karle im „Lamm" in Kuppingen fehlt das Schmiedeeiserne, Holzgetäfelte, hängen keine Dreschflegel, Wagenräder, Butterscheffel oder sonstigen Attribute einer Pseudo-Rustikalität an der Wand. Das Resopal herrscht vor. Aber wenn die Frau Roller mit Schüsseln und Tellern voll dampfenden Kesselfleischs und Kraut hereinkommt und der Karle gerade wieder eine seiner Geschichten erzählt hat, dann steigt der Geräuschpegel nochmals um einiges, und es stellt sich eine Art Urgefühl ein, jene Kameraderie des Zechens, der sich auch der Sprödeste nicht verschließen kann.

The greatest rogue of all the butchers between Böblingen and Herrenberg is undoubtedly *Roller Karle* of Kuppingen. Karle is not only known for the tall – and occasionally rather hairy – stories he tells, but also for his remedy against headaches. "It's not a remedy that is taken like medicine or rubbed in, it's a remedy that you keep in your pocket." According to Karle, "It helps a hundred percent, but you have to believe in it". Apparently, a butcher by the name of Michelberger, who lived near Lake Constance 150 years ago, left the secret to his great granddaughter, who in turn passed it on to Karle "for a favor I had done her".
It's a tiny little bone from a pig's ear, which looks like a man's skull, that had been given to the greatgrandfather by a Buddhist monk. The monk told him if he carried it with him all the time and firmly believed in its power, he would never again suffer from headaches. And according to the great granddaughter, great grandfather never had a headache from that moment on.
It took Karle quite a time to find the bone but he did find it. It's the innermost bone in a pig's ear responsible for the pig's sense of balance. So for some years now, whenever Karle slaughters a pig, he saves these little bones for his friends and relatives everywhere, and "none have been sufferin' a headache ever since".

*

Roller Karle was born in Kuppingen in 1930. The Rollers have been there as butchers for over 330 years. In almost every generation there have been at least two butchers. Karle's grandfather had a farm and the butcher shop. It was his father who bought the inn that Karle now runs together with the butcher shop.
Karle is firmly convinced that he will die poor some day. "One of our ancestors fought a war against the Count of Tübingen and lost. That was in 1646, the Rollers lost their peerage as a consequence, and since most men of noble birth die poor, I am also going to die poor."
Karle grew up during the war and the most exciting thing for him as a kid in those days was the illegal farmhouse slaughtering that went on. He is considerably less fond of the last days of the war, when he was taken prisoner for one day. The French had arrested him as he turned over his father's rifle at the City Hall, because of some blood on his butcher's shirt and a wad of money in his wallet. He was carrying the shop's earnings for one month. They mistook him for a crook and gave him a thorough thrashing before they sent him home.

Karle's wife thinks he's happiest when he is in the *Gaststube* entertaining the crowd. "They even call our inn the *stage*", she says, and Karle adds: "You can do things here that you're not allowed to do anywhere else. You can sing, dance, play the accordion, whatever you like." Karle's inn, the *Lamm* in Kuppingen, may lack the wrought-iron, wood-panelled, pseudo country-look that is so much in demand, but when *Frau Roller* comes in with steaming platters of pig's knuckles, liver sausage and Sauerkraut, and Karle has just told another one of his tales, the level of noise rises by a few more decibels and a primeval feeling of communal carousing enfolds everyone.

# Griebenwurst nach Karl Roller*

Für etwa 10 kg Wurst:
- 2 kg Schweineschwarten mit Speckschicht
- 5 kg Schweinebacken und Rüssel, evtl. vorgepökelt
- reichlich Kochwasser, evtl. Salz
- 1 kg frische Schweineleber
- 1 kg Schweineblut
- evtl. Antigerinnungsmittel für das Blut
- 1 kg Brühe

pro Kilo Wurstmasse:
- 18 g Salz, wenn das Fleisch nicht gepökelt war
- 3–5 g schwarzer Pfeffer
- 5 g Piment, gemahlen
- je 5–8 g Majoranpulver und Glutamat
- gutgereinigte Schweinedärme

Die Schwarten ca. 1½ Stunden, Schweinebacken und Rüssel ca. 1 Stunde in Wasser (falls vorgepökelt, kein Salz zugeben) kochen. Das Fleisch sollte auf Daumendruck elastisch nachgeben. Die Leber nur 30 Minuten mitkochen. Die Schwarten im Blitzhakker zu einem feinen Brei verarbeiten (die Masse sollte wie Pudding sein), Schweinebakken und Rüssel durch die feine Scheibe des Fleischwolfs treiben. Die Leber in sehr kleine Würfel schneiden. Den Schwartenbrei auf genau 40° C erhitzen, das gutgerührte Blut zugeben (will man sichergehen, daß es nicht gerinnt, ein entsprechendes Mittel zusetzen), den Fleischbrei und die Brühe sowie die Leberstückchen unterarbeiten. Mit den Gewürzen gut abschmecken und die Masse in gereinigte Därme nicht zu prall einfüllen. Die Würste abbinden und evtl. stupfen (siehe auch S. 36). Im 75–80° C heißen Wasser ca. 45 Minuten kochen. Danach kurz in kaltes Wasser tauchen, damit der Darm nicht hart wird, und frisch zu Sauerkraut servieren.

** Bild Seite 58*

# Flädlesuppe

- 150 g Weizenmehl
- knapp ¼ l Milch
- 1–2 Eier
- 1 Prise Salz

Zum Ausreiben der Pfanne:
- 1 Stück Speck oder Speckschwarte

- 1 l gute Fleischbrühe
- 1 Bund Schnittlauch

Aus Mehl, Milch, den Eiern und der Prise Salz einen glatten, nicht zu dicken Teig rühren. Eine schwere Bratpfanne stark erhitzen, mit Speck ausreiben, einen kleinen Schöpflöffel Teig hineingeben, verlaufen lassen und dünne Pfannküchle – Flädle – backen. So verfahren, bis der ganze Teig verbraucht ist. Die Flädle abkühlen lassen, halbieren und in dünne Streifen schneiden. In klare, sehr heiße Fleischbrühe einlegen und sofort servieren. Mit Schnittlauchröllchen bestreuen.

Flädle sind ein Bestandteil der Schwäbischen Hochzeitssuppe. Je nach Landstrich kommen noch Grießklößle, Markklößle und Brätklößle oder Leberklößle, kleine Maultäschle oder Backerbsle, Eierstich und Leberknöpfle mit in die gute Suppe. Da in früheren Zeiten Vorschriften des Landesvaters auch Tauf- oder Hochzeitsessen reglementierten, fielen die einzelnen Gänge eben besonders reichhaltig aus – so wurden die Vorschriften zu Gunsten des Essers ausgelegt!

## Beef broth with pancake strips

| |
|---|
| 2/3 cup wheat flour |
| just under 1/2 cup milk |
| 1–2 eggs |
| pinch of salt |
| For greasing skillet: |
| piece of bacon or bacon rind |
| 1 qt. meat broth |
| a bunch of chives |

Mix together flour, milk, eggs and salt and stir batter until smooth, but not too thick. Heat a heavy skillet until quite hot and grease with bacon. Pour small ladleful of batter into skillet, spread until skillet is covered and make thin pancakes – *Flädle.* Do so until all batter is used up. Cool *Flädle,* cut in half and then again in thin strips. Lay in very hot broth and serve immediately. Sprinkle with diced chives.

*Flädle* are one part of the Swabian wedding soup. Depending on the region semolina balls, beef marrow balls and sausage meat balls or liver dumplings, little stuffed noodles *(Maultäschle)* or small baked dumplings *(Backerbsen),* cooked-egg garnish and liver *Spätzle (Leberknöpfle)* are added. Since in former times the orders of the Sovereign also restricted the number of courses served at baptisms and weddings, the single courses were made especially generous – hence the many different dumplings in the wedding soup.

## Blood sausage à la Karl Roller*

| |
|---|
| For about 20 lbs. sausage: |
| 4 lbs. porkrind with some bacon on it |
| 10 lbs. pig's cheek and snout, possibly salted |
| plenty of salted water |
| 2 lbs. fresh pig's liver |
| 4 cups of fresh pig's blood |
| optional: anticoagulation substance |
| 4 cups broth |
| per kilo sausage mixture: |
| 0.6 oz. salt (if meat wasn't salted before) |
| 1 pinch black pepper |
| 1 pinch ground pimento |
| 1 pinch majoram powder |
| 1 pinch glutamate |
| well cleaned sausage casings |

Cook rind for about 1 1/2 hours, pork cheek and snout about 1 hour in water (don't add salt if meat was salted before). When pressing with thumb meat should be elastic. Cook liver only for 30 minutes together with other meat. Use kitchen machine to make ground meat from rind (mixture should be like mash), work pork cheek and snout through fine blade of meat grinder. Cut liver in very small squares. Heat up rind mixture to 110 degrees, add well stirred blood (to make sure that blood won't coagulate, add corresponding preparation), mix in ground meat, broth and little liver pieces. Flavor with herbs and spices and fill clean sausage skins with mixture, but not too full. Tie up sausages and perhaps puncture with needle. Cook in 175-degree hot water for about 45 minutes. After that dip them shortly in cold water so that skin won't get too hard and serve fresh with Sauerkraut. It is absolutely important that rind mixture is 110 degrees, if temperature is higher, blood turns black!

* See picture page 58.

Dichterin läßt sie sich nicht nennen, denn was sie tut, das sei reimen und nicht dichten. „Dichter, des send dr Goethe ond dr Schiller." Allerdings, Hochzeitsreimerin tät auch nicht so passen, und so ist sie halt zufrieden, daß man sie Hochzeitsdichterin nennt. Schließlich war sie bei einer hochoffiziellen Feier – es war der Geburtstag des Ehrenpräsidenten der Donauschwaben, Dr. Krämer – auch schon als Volksdichterin im Programm angekündigt worden. Mit Recht! Denn wenn sie auch noch keine Zeile veröffentlich hat, viele ihrer Gedichte gehen über die zu Hochzeiten oder ähnlichen Anlässen gereimte Unterhaltung hinaus, sind Volksdichtung. Nicht Mundartlyrik oder Heimatdichtung: Volksdichtung! Gesprochenes, nicht gedrucktes Wort, so wie diese Aufzeichnung einer, wie sie versichert, wahren Begebenheit:

*Am letzta Mittwoch, voller Hoffa,*
*hent drei Freind anander troffa*
*ond hent se kurz vor Mitternacht*
*singend uff dr Heimweg gmacht.*
*Se setzet ihre Kappa uff,*
*oiner läuft da Flecka nuff,*
*der andere, au no monter,*
*der läuft 's Dörfle nonder,*
*ond der dritte, der macht bald*
*noch dreißig Meter wieder halt*
*ond schifft, so schnell er ka,*
*an schöna Bacchusbronna na*
*ond merkt so halb em Suff,*
*des Plätschera, des hört et uff,*
*ond denkt: Des kommt vo mir, o Graus!*
*Drom schreit er: „Hilfe, Hilfe, i lauf aus!"*
*Do kommet glei de andre gloffa*
*ond lachet. „Narr, dei Hosatür isch offa,*
*no machs au wiedr zua,*
*no hot dr Hahna Ruah."*

Manches ist auch von einer schlichten, zu Herzen gehenden Innigkeit, wie ihr erstes „oiges Gedicht", das sie 1936 bei einem Heimtabend vorgetragen hat und das in die Strümpfelbacher Chronik aufgenommen wurde.

*Im a kloina stilla Tal*
*zwischa Weiberg ohne Zahl,*
*Kirschabeem ond Wald ond Stauda*
*liegt a Dorf mit Fachwerkbauta,*
*mancha alte Giebeldach,*
*Remstals Perle, Strümpfelbach.*

Das Gedicht hat noch drei weitere Verse und endet mit der Vermutung, daß, wenn Strümpfelbach sich weiter so entwickelt, es bald Stuttgart den Rang ablaufen wird.
Alles aber kommt aus der schwäbischen „Dichteritis", wie Sebastian Blau es einmal nannte, einer Leidenschaft des Sinnierens und Zuneigung zum gereimten Gedanken, die den Schwaben in besonderem Maße zu eigen ist und die bei den Großen der Dichtkunst ebenso zu finden ist wie bei den vielen unbekannten Dorfdichtern. Gertrud Halbisch meint dazu:

*Manche moinet, auf'm Land*
*mir Baura seiet it so hell.*
*Mir hent den gleich Verstand,*
*bloß d' Gosch tuat net so schnell.*

*

Geboren ist sie in Strümpfelbach. Im Februar des Jahres 1911. Mit verschmitztem Gesicht sagt sie: „Der Februar beweist es klar, wie schön im Mai die Liebe war." Wenn man weiß, wie schön Strümpfelbach im Mai ist, wenn überall die Kirschbäume blühen, dann bekommt dies noch eine besondere Bedeutung.
An Strümpfelbach hängt sie mit jeder Faser ihres Herzens. Es hat ihr bitter weh getan, als 1973 durch die Eingliederung in die Gemeinde Endersbach Strümpfelbach seine eigene Postanschrift verlor und sozusagen ein numeriertes Endersbacher Anhängsel wurde. Sie hat dabei Gottes und sogar Willy Brandts Hilfe angerufen. Es hat nichts genützt.

---

*Gertrud Halbisch – Volksdichterin in Strümpfelbach.*

*Gertrud Halbisch, folk-poetess in Strümpfelbach.*

Drei Buben hat sie zur Welt gebracht. Alle drei sind „ebbes Rechts“ geworden. Auch in der Gemeinde haben sie ihren Platz. Einer ist der Feuerwehrkommandant, ein anderer der Vorstand des Musikvereins. Der mittlere, der Feuerwehrkommandant, hat den Hof und den Wengert. Sie selbst hat nur noch den kleinen Wengert hinterm Haus, den „alta Berg“. Da hat sie noch viermal im Jahr das „Herbstgeld“. „Mr braucht jo emmer ebbes für d' Enkele.“ Enkel hat sie sechs, Urenkel bis jetzt einen. Mit ihren 76 Jahren geht sie noch jeden Tag in den Wengert. Mit der Schwiegertochter. „I han liabe Schwiegertöchter. Dia deant mir älles.“

Eine schwere Zeit waren die Kriegsjahre. Noch schwerer die ersten Nachkriegsjahre. 1939 mußte ihr Mann einrücken. Zurück kam er erst wieder 1949. Nach fünf Jahren Krieg und fünf Jahren russischer Gefangenschaft. Über zwei Jahre hatte sie nichts gehört, erst 1947 kam eine Karte. „Liebe Leni, da Du grad Geburtstag hast.“ Leni und grad waren unterstrichen. „Ond i hoiß doch gar et Leni. I ben lang net draufkomma, na han i gmerkt, er ischt in Leningrad.“

In den vier Jahren nach dem Krieg mußte sie den Wengert ganz allein mit der Schwiegermutter und dem Großvater bewirtschaften. Im Krieg ging's noch. „Do hent mir an Franzosa ghet. Der Martin, der hot guat gschafft.“ Der Martin hatte es auch gut. Er mußte zwar am Abend ins Quartier einrücken, in ein Lager gegenüber der Kirche, wo er mit zwölf anderen untergebracht war, aber tagsüber gehörte er zur Familie. „Wenn er a Paket kriagt hot vo seiner Frau, hot er meine Buaba immer ebbes geba.“ Der Martin, der eigentlich mit vollem Namen Louis Jean Saint Martin hieß, mochte den Hitler nicht leiden, wie sie sagt, denn er sei schuld, daß er in Kriegsgefangenschaft sei. „Meine Buba hent a Sparhäfele ghet, des war em Hitler sei Haus, dr Obersalzberg, des hot 'r gar it möga, do hot 'r immer gsait: ‚Deinem Maler sein Haus.‘ Was der älls gsait hot, des hät koiner höra derfa.“ Nach dem Krieg, sechs Wochen, nachdem er daheim war, kam gleich ein Brief, und 1956 haben Gertrud und ihr Mann den Martin und seine Frau Helene in Baigts de Béarm, einem kleinen Dorf am Fuß der Pyrenäen, das erste Mal besucht.

Einmal hat die Gertrud Halbisch sogar so etwas wie eine Frauenbewegung ins Leben gerufen. Das ist inzwischen als die Geschichte vom „Frauabad in Strümpfelbach“ in die Annalen eingegangen. Der Stadtrat von Beutelsbach hatte beschlossen, in Strümpfelbach die Frauenbadezeit zu kürzen. „Donnerschtag isch Frauabad vo achte bis zehne, ond do kommet se au vo Endersbach ond vo Heppach. Dia Endersbacher kommet, weil oser Frauabad a Stond längr offa hot. Dia hent no Vieh ond sent am siebene no im Stall. Vom Schurwald kommet au zwoi. Zwoiadreißig send mer. D' ältescht isch d' Guste vo Heppach. Dia isch achtasiebezg. Mo's ghoißa hot, des Bad werd gschlossa, da hent se älle gschimpft. Mir badet weitr, ond d' Berners Sophie vo Endersbach hot gsait: ‚Der erscht Ma, der kommt, dem ziag i d' Hos aus.‘“ Bei einer Mundartveranstaltung in Strümpfelbach, bei der auch Oberbürgermeister Hofer zugegen war, hat dann die Gertrud ihren Protest angebracht. Zuerst hat sie ihre Zehnerkarte zurückgegeben, dann hat sie sich entschuldigt, daß sie sitzenblieb: „Mir isch nämlich dia Schließong vom Frauabad in d' Füaß gfahra.“ Dann trug sie ihr Gedicht vor.

*Der Stadtrat von Beutelsbach*
*hot einstimmig bschlossa,*
*ab sofort werd z' Strümpfelbach*
*'s Frauabad gschlossa.*

*Spara mueß mer do ond dort,*
*ieberall, wo mer halt ka,*
*ond em kloinsta Ort*
*fangt mer bei de Fraua a.*

*So ischt's jo em allgemeine,*
*des sieht mer om ond om,*
*ja emmer uff de Kloine,*
*da dappt mer eba rom.*

Der Beutelsbacher Stadtratsbeschluß wurde postwendend rückgängig gemacht.

She does not like to be called a poetess, because as she sees it "Schiller and Goethe were poets, I merely rhyme words". But since "wedding rhymer" sounds awkward she settles for "Hochzeits-Dichterin", wedding poetess. After all, she has been writing simple rhymes for weddings and similar occasions for nearly fifty years now. Occasionally she writes poetry of a different sort, describing everyday events, the little, day-to-day happenings in Strümpfelbach, a small winegrowers' village in the Rems Valley, where she was born in February of 1911. With a little smile she says: "February is the proof of how romantic love was in May." If one considers how beautiful Strümpfelbach is in May, when all the cherry trees are in blossom, her words take on another meaning altogether.
She recited her first poem at a Strümpfelbach folklore evening in 1936.

*In a quiet little valley*
*Between vineyards without number*
*Cherry trees and woods and meadows,*
*Cluster houses under gables*
*Strümpfelbach, my Remstal village.*

The poem has three more verses and ends with the speculation that if Strümpfelbach continues to thrive as it does now, it will someday outshine Stuttgart.
The Swabian enthusiasm for poetry, that passion for the rhymed word or "Dichteritis", as Sebastian Blau, the late editor of the *Stuttgarter Zeitung,* once called it, is a widespread infatuation, found among men of literature as well as among the countless unknown village poets.
Gertrud Halbisch loves Strümpfelbach with every fibre of her being. It hurt her deeply when, in 1973, Strümpfelbach became part of the neighboring town of Endersbach and consequentially lost its own postal zip-code. In a poem she wrote on this occasion, she called on God and Willy Brandt (chancellor of Germany at that time) for help. To no avail, however.
Gertrud raised three sons, all of them respected members of the community. One of them is the village fire chief, who also runs the family farm and vineyards, another heads the local band. Gertrud still has her own little vineyard behind the house, for pin money as she says, and to buy presents for her six grandchildren.
Times were hard during the war and even more so afterwards. Her husband had been a soldier for five years and a prisoner of war in Russia for another five years, so from 1945 to 1949 she was alone, with only her mother-in-law and grandfather to help with the farm and the vineyards.
During the war she had a French prisoner of war to help her. Martin, whose full name was Louis Jean Saint Martin, came from a small village at the foot of the Pyrenees. "He was a good worker", she says. He had to return to the prison camp every evening, but during day he was part of the family.
The war ended, and Martin returned home. But after six weeks came his first letter and in 1956 Gertrud and her husband visited Martin and his wife, Helene, in their village Baigts de Bearm. Other visits were to follow and out of a forced encounter "de la guerre" developed a lifelong friendship. Gertrud's husband died in 1964, and two years ago Martin died, and for the first time his wife Helene visited Strümpfelbach and Gertrud alone.

*

In her old age Gertrud has become something of an advocate for Women's Lib, in a moderate way, though. When the city council of Beutelsbach decided that the public swimming pool in Strümpfelbach, which once a week was reserved for "ladies only", would also be open to the male population on that day, Gertrud and her 32 companions, all aged between 50 and 80, threatened to strip the bathing trunks off the first man to enter the pool. Then Gertrud wrote a poem flaming with protest, which left the councilors no alternative but to revoke their decision.

# Linsen, Spätzle, Saiten

| Linsengemüse: |
| --- |
| 400 g vorbehandelte Linsen |
| Wasser, 2 Lorbeerblätter |
| 40 g geräucherter, durchwachsener Speck |
| 50–60 g Mehl |
| 1 Zwiebel |
| 1 Möhre, 1 Stück Lauch |
| ca. 1/4 l Fleischbrühe |
| 2–3 Eßl. Weinessig |
| Salz und Pfeffer |
| Spätzle, siehe Seite 13 |
| Saiten vom Metzger |

Die Linsen mit reichlich Wasser und den Lorbeerblättern aufsetzen und ca. 45 Minuten kochen – die Linsen sollten vom Kochwasser gut bedeckt sein.
Den Speck fein würfeln und auslassen. Darin das Mehl anrösten, bis es eine gelbbräunliche Farbe angenommen hat.
Die Zwiebel, Möhre und den Lauch sehr fein hacken, kurz mit andünsten, dann die abgetropften Linsen zugeben und mit Fleischbrühe ablöschen. Mit Essig abschmecken und die Linsen gut durchkochen. Mit Salz und Pfeffer würzen.
Dazu gibt es Spätzle, Saiten oder ein gutes Rauchfleisch, das man auch kurze Zeit in den Linsen mitkochen kann.
Wer möchte, kann auch etwas frischen Knoblauch zu den kleingehackten Gemüsen geben – das macht das Gericht leichter verdaulich.Die Fleischbrühe kann auch durch einen Rotwein ersetzt werden – dann beim Abschmecken mit Essig vorsichtig sein.

Anmerkung: Nicht vorbehandelte Linsen sollten über Nacht in viel Wasser eingeweicht und am nächsten Tag mit frischem Wasser gekocht werden. Keinesfalls Salz zugeben – das verlängert die Kochzeit!

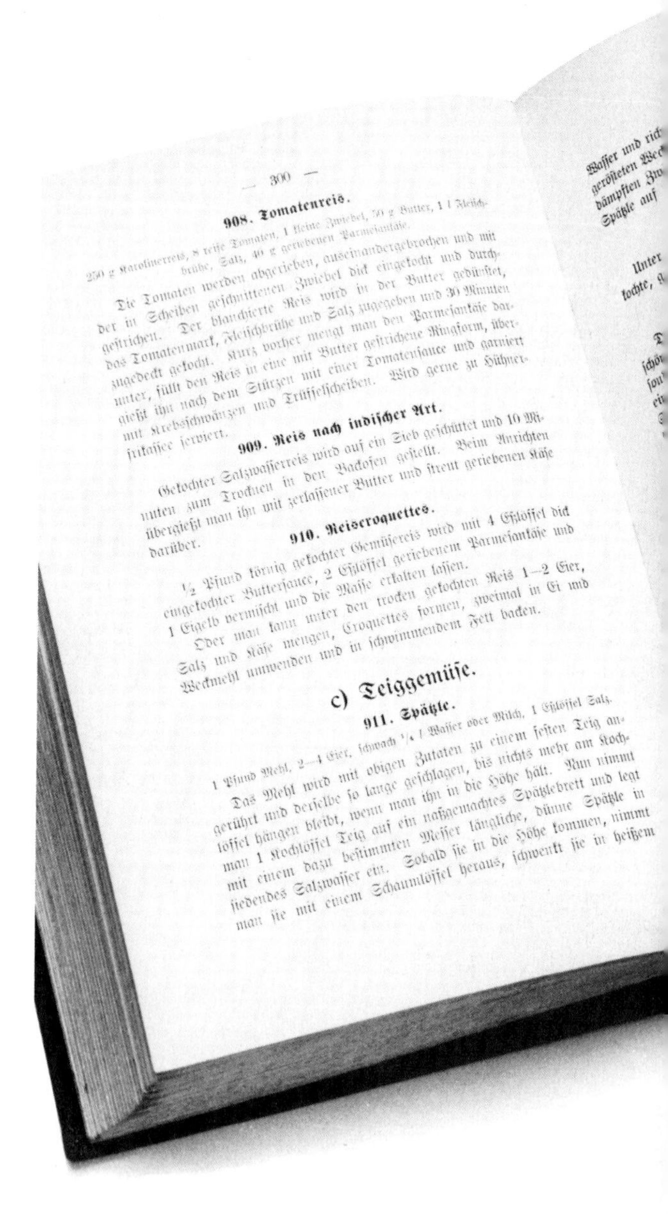

— 300 —

**908. Tomatenreis.**

250 g Karolinerreis, 8 reife Tomaten, 1 kleine Zwiebel, 50 g Butter, 1 l Fleischbrühe, Salz, 40 g geriebenen Parmesankäse.

Die Tomaten werden abgerieben, auseinandergebrochen und mit der in Scheiben geschnittenen Zwiebel dick eingekocht und durchgestrichen. Der blanchierte Reis wird in der Butter gedünstet, das Tomatenmark, Fleischbrühe und Salz zugegeben und 30 Minuten zugedeckt gekocht. Kurz vorher mengt man den Parmesankäse darunter, füllt den Reis in eine mit Butter gestrichene Ringform, übergießt ihn nach dem Stürzen mit einer Tomatensauce und garniert mit Krebsschwänzen und Trüffelscheiben. Wird gerne zu Hühnerfrikassee serviert.

**909. Reis nach indischer Art.**

Gekochter Salzwasserreis wird auf ein Sieb geschüttet und 10 Minuten zum Trocknen in den Backofen gestellt. Beim Anrichten übergießt man ihn mit zerlassener Butter und streut geriebenen Käse darüber.

**910. Reiscroquettes.**

½ Pfund körnig gekochter Gemüsereis wird mit 4 Eßlöffel dick eingekochter Buttersauce, 2 Eßlöffel geriebenem Parmesankäse und 1 Eigelb vermischt und die Masse erkalten lassen.

Oder man kann unter den trocken gekochten Reis 1—2 Eier, Salz und Käse mengen, Croquettes formen, zweimal in Ei und Weckmehl umwenden und in schwimmendem Fett backen.

**c) Teiggemüse.**

**911. Spätzle.**

1 Pfund Mehl, 2—4 Eier, schwach ¼ l Wasser oder Milch, 1 Eßlöffel Salz.

Das Mehl wird mit obigen Zutaten zu einem festen Teig angerührt und derselbe so lange geschlagen, bis nichts mehr am Kochlöffel hängen bleibt, wenn man ihn in die Höhe hält. Nun nimmt man 1 Kochlöffel Teig auf ein naßgemachtes Spätzlebrett und legt mit einem dazu bestimmten Messer längliche, dünne Spätzle in siedendes Salzwasser ein. Sobald sie in die Höhe kommen, nimmt man sie mit einem Schaumlöffel heraus, schwenkt sie in heißem

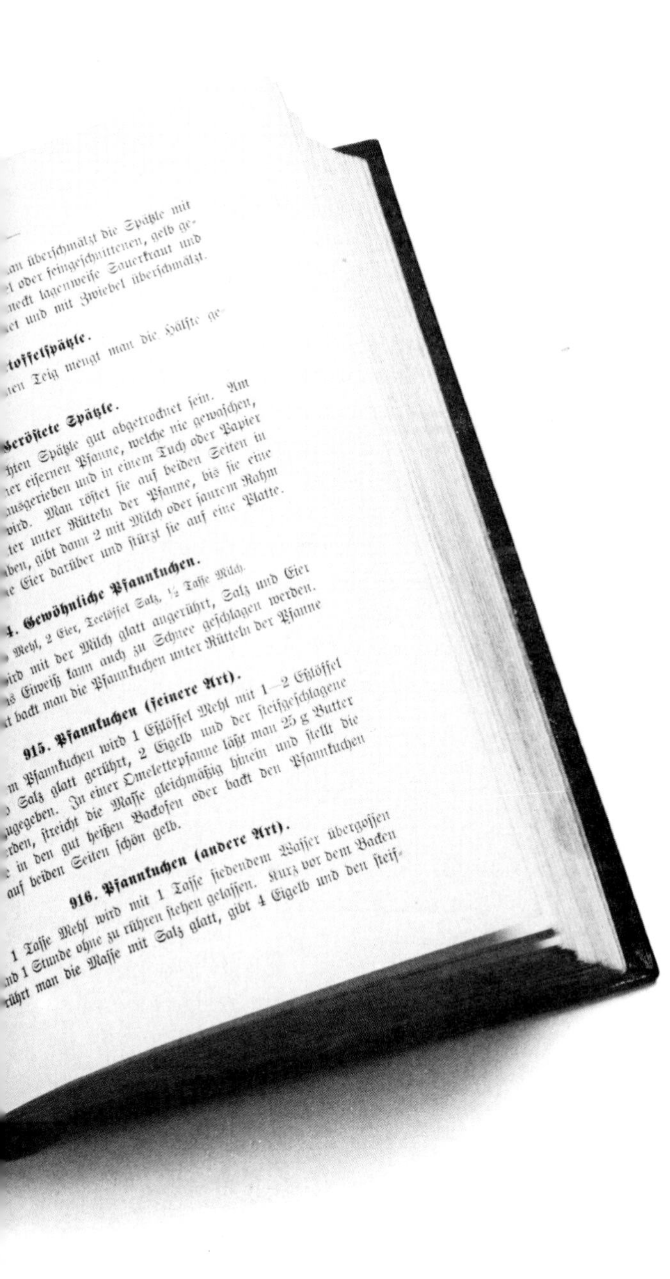


*Spätzle-Rezepte/Spätzle recipes*
*in „Kochbuch des Schwäbischen Frauenvereins"*

# Lentils, *Spätzle,* sausages

Lentil vegetables:

14 oz. prepared lentils*

water, 2 bay leaves

1 1/2 oz. smoked lean bacon

1/2 c. flour

1 onion

1 carrot, one piece of leek

about 1/2 cup broth

2–3 tbsp. wine vinegar

salt and pepper

*Spätzle,* see page 13

Wiener sausages or hot dogs

Put lentils with plenty of water on stove to boil and cook for about 45 minutes – lentils should be well covered by water. Dice bacon and fry until translucent. Brown flour slightly in bacon fat. Chop onion, carrot and leek, cook briefly with bacon and flour, then add drained lentils and broth. Flavor with vinegar and cook thoroughly. Season with salt and pepper.

Serve with *Spätzle* and sausages or with a generous slab of smoked bacon, which you can cook together with lentils for a short time.

Optional: You can add some fresh garlic to chopped vegetables – this makes the meal easier to digest.

You can also substitute red wine for broth – in this case be careful when flavoring with vinegar.

* Note: Lentils which are not prepared should be soaked in plenty of water over night and cooked the next day in fresh water. On no account add salt – this prolongs cooking time.

Der ehemalige Oberbürgermeister von Aalen, Karl Schübel, hat einmal gesagt, ein Schultes müsse die Kraft eines Stieres, die Weisheit eines Elefanten, die Würde eines Bischofs, die Schlauheit eines Fuchses und die Geduld eines Esels haben. Dem gegenüber steht die ebenso prosaische wie klassische Forderung: „Zom erschte muaß er broite Füaß han, daß er vor d' ganze Gmoind naschtaoh ka, zom zwoita muaß er en großa Ranza han, daß dia Flüach von der ganze Gmoind Platz hend, ond zom dritte muaß er raute Hoor han, daß ma da Spitzbuaba scho vo weitem kennt!"
Bis auf die roten Haare treffen auf Karl Burr, Bürgermeister von Königsbronn, beide Definitionen zu. Karl Burr selbst meint, ein Schultes müsse außerdem noch trinkfest sein und sollte bei aller Unterstützung der Wirtschaft die Bedeutung der Wirtschaften nicht unterschätzen.
Einen Meter neunzig groß, knapp zweieinhalb Zentner schwer, mit den hellen Augen und der kräftigen Gesichtsfarbe eines Menschen, der viel in der Natur ist, ein Mann von gesundem Menschenverstand, Pragmatiker mit Sinn für ungewöhnliche Lösungen und einer tüchtigen Portion Humor, nebenher noch Kreisjägermeister, Sammler von Wildererliedern und Gedichten, Heimatkundler und Herausgeber von mittlerweile vier Büchern, dazu talentierter Fotograf und Filmer – kurzum, ein schwäbischer Schultes, heimatverbunden und weltläufig zugleich – die Königsbronner könnten sich kein besseres Gemeindeoberhaupt wünschen.
Als er 1952 mit 26 Jahren Schultes in Königsbronn wurde, war er der jüngste Bürgermeister im ganzen Land, heute ist er einer der letzten einer Reihe von eigenwilligen Bürgermeister-Persönlichkeiten, zu denen das ehemalige Ulmer Stadtoberhaupt Dr. Hans Lorenser ebenso zählt wie der verstorbene Stuttgarter Oberbürgermeister Dr. Arnulf Klett, der sich selbst gern Deutschlands größten Bauernschultes nannte. Ein wenig stolz, und sicher mit Recht, ist Burr darauf, daß es im ganzen Land nur zwei vom Volk gewählte parteilose Bürgermeister gibt, die Vater und Sohn sind – ihn und seinen Sohn Ulrich, Bürgermeister in Murrhardt. „Er is dr Jüngscht, ond i ben dr Dienschtältest."

Als erste und unmittelbarste politische Instanz bekommt Karl Burr nicht nur Anfragen aus dem Gemeinderat, sondern auch von den Bürgern selbst. Die einen wie die anderen lassen meist an Direktheit nichts zu wünschen übrig. Burrs Antworten stehen dem in nichts nach. Manche Briefschreiber wollen auch nur ihren Kropf leeren, so wie ein enttäuschter Bauplatzinteressent, der ihn wissen ließ: „Sie haben mir den Bauplatz nicht gegeben. Ein anderer war Ihnen wichtiger wie ich. Das werde ich Ihnen nicht verzeihen. Ich überlebe Sie, darauf können Sie sich verlassen. Ich wohne wohl nicht in Ihrer Gemeinde, aber bei Ihrer Beerdigung werde ich dabeisein und Ihnen ins Grab sehen. Dazu steige ich extra auf den Herwartstein hinauf."
Der Herwartstein ist der Königsbronner Hausberg.

*

Ein schwäbischer Schultes ist auch als Mittler und Schlichter bei Sühneverhandlungen tätig, wobei Karl Burr zur Vermeidung allzu lästiger Bürokratie gerne zu ebenso ungewöhnlichen wie außerprotokollarischen Lösungen greift. So, als er dem Streit zweier Königsbronner Bürger, die sich gegenseitig den schwäbischen Gruß entboten hatten, seinen höchsteigenen bürgermeisterlichen hinzufügte, worauf die beiden sich prompt wieder vertrugen.

---

*Karl Burr – Bürgermeister zu Königsbronn*
*Karl Burr – mayor in Königsbronn*

Gelegentlich muß er zum Wohl der Gemeinde auch detektivisch tätig sein. In diesem Falle ging es um einen Apfelbaum, der einer Straßenerweiterung weichen sollte. Nach Meinung seines Besitzers war dies nicht nur der ertragreichste Apfelbaum der Ostalb, er lieferte auch noch den besten Most. Entsprechend hoch war der Preis, den er als Ablöse verlangte. Als Burr sich mit ihm nicht einigen konnte, holte er die über hundert Jahre alten Akten aus dem Archiv und stellte nach eingehendem Studium fest, daß der Baum auf gemeindeeigenem Boden stand. Burr drehte nun den Spieß um und verlangte rückwirkend Pacht, was zu einem erschrockenen Lamento des bisherigen Nutzers führte: „Was – für den Storra soll i no Pacht zahla, wo i en jedes Johr umsonscht gschnitta han, da wellet Sie no Geld für dia paar Pfond Äpfel ond des bißle räse Moscht, wo oim a Loch in Maga frißt!"

So wie auf der Ostalb die Heidenheimer „Knöpfleswäscher" und die Giengener „Panscher" heißen, so nennt man die Königsbronner die „Wildschützen". Wie könnte es da anders sein, als daß der Königsbronner Schultes ein passionierter Jäger ist? Die Jagdleidenschaft hat er vom Vater geerbt, von dem er meint: „Der hätt au a Wilderer sei könna."
Gejagt hat er schon auf allen fünf Kontinenten. „'s weitest, wo i g'schossa han, war z' Neuseeland. Dia jaget vom Hubschrauber aus. I han's it do, dafür wär i fast verfrora." In Tunesien war er auf Saujagd: „D' Säu waret nacketer ond schneller. 's Problem war nur, dia Mohammedaner hent dia Säu net agrührt, ond do hent mir's selba traga müassa." In seinem eigenen Revier schießt er an die 20 bis 25 Stück Rehwild im Jahr, Hirsche gibt's in den Wäldern um Königsbronn keine mehr. Der letzte Hirsch wurde 1906 geschossen. Dafür gibt's die meisten Gedenksteine für ermordete Förster und das einzige Wilderermuseum in der Welt. Und diesem Museum, das er selbst eingerichtet hat, gilt Karl Burrs besondere Leidenschaft, weshalb man ihn auch den Wildschützen- oder Wilderer-Schultes von Königsbronn nennt. Die einzelnen Exponate dieses einmaligen Museums, das inzwischen an die zehntausend Besucher jährlich anzieht, hat in er in mühevoller Kleinarbeit zusammengetragen. Prunkstück ist eine Stockflinte, Leihgabe eines ungenannt sein wollenden Königsbronners, der sie noch vom Großvater hat.

Wen wundert's, daß bei so viel lebendiger Wilderertradition das Königsbronner Nationallied ein Wildschützenlied ist? Das Wildschützenlied gab es bisher nur in der mündlichen Überlieferung. Karl Burrs Frau hat eine Klavierstimme dazu geschrieben, und wenn der Burra Karle, wie seine Freunde ihn nennen, rezitiert: „Wir treffen uns in früher Stund und schleichen durch das Dickicht hin ...", und am Schluß: „... o ihr verfluchten Schnauzbartjünger, ihr wollt noch trotzen obendrein. Wir treffen uns in früher Stunde, da sollt ihr uns willkommen sein. Hoho, hoho! Er stolzer Förster, geh Er in Frieden still nach Haus, vielleicht schmeckt Euch der Schweizer Käs, aber uns fürwahr der Wildbretschmaus", dann stellt sich das untrügliche Gefühl ein, wäre dies hundert Jahre früher, dann wäre das nicht der weithin bekannte Schultes Karl Burr, der das eben deklamiert hat, sondern der ebenso weithin bekannte Wildschütz Karl Burr.

The former mayor of Aalen, Karl Schübel, once said: "A Swabian small town mayor must have the strength of an ox, the wisdom of an elephant, the dignity of a bishop, the cunning of a fox und the patience of an ass." A classical Swabian definition is: "He must have big feet to take a firm stand, a big belly to be able to take on all of the community's curses and red hair, so that the scoundrel can be recognized from afar. With the exception of the red hair, all of these criteria apply to Karl Burr, mayor of Königsbronn, also known as the "poachers' mayor". Standing six foot four, weighing roughly 250 pounds, with the clear eyes and the healthy complexion of an outdoorsman, humorous, pragmatic and with a knack for unusual solutions, he is also the hunting commissioner, a collector of poacher's songs and poems, editor of four books on this subject, a widely travelled huntsman and photographer. In 1952, at the age of twenty-six, he was the youngest mayor in the country. Now he is the longest serving mayor still in office.

*

As mayor, Burr gets complaints and sometimes rather blunt criticism not only from the City Council but also from the citizens. His answers are usually just as direct. Sometimes, however, these complaints are more or less hypothetical. Like the time he received a letter from a disappointed applicant for a piece of town property, who wrote: "You didn't give me that piece of land, I will never forgive you for that. You gave preference to someone else, I'll live to see you dead yet. I don't live in your community, but when they bury you, I'll be standing on top of *Herwartstein* to look down on your grave." The *Herwartstein* is a hill outside of Königsbronn.

*

A Swabian small town mayor must also, from time to time, act as an arbitrator. Karl Burr, who is not overly fond of bureaucracy, usually manages to find a solution which is just as solomonic as it is unfit for protocol. On one occasion he so startled two respectable citizens, who were threatening to sue one another for insult – each had told the other to kiss his respective ass – by adding his own insult with the same words, that they reconciled on the spot.

Burr has hunted on five continents. The farthest he has been to hunt was in New Zealand. "They hunt from helicopters there", he says, "which I didn't like, so I went on foot and nearly got my toes frozen off. I was boar hunting in North Africa, boar there are less hairy and much faster. The problem was, though, that the Moslems wouldn't go near the dead boar, so we had to carry them ourselves." In his own hunting grounds, Burr shoots from twenty to twenty-five deer a year. Stags no longer exist in the woods around Königsbronn. The last stag was shot in 1906. Instead, the Königsbronn woods have the largest number of commemorative stones for gamekeepers who were shot by poachers, and the world's only poachers museum. Karl Burr painstakingly collected the various exhibits over a number of years. His favorite piece is a walkingstick rifle donated by a Königsbronn citizen who wanted to remain anonymous. Little wonder that the Königsbronn National Anthem is a poacher's song. And when Karl Burr begins to recite: "Let's meet early in the morn'/ sneaking through the thicket's thorn/..." and continues "Ho, ho, you bearded forester, why don't you go in peace, our taste 's for game and venison/while yours is for Swiss cheese...", one has the uncanny feeling that were this a hundred years earlier, it would not be Karl Burr the mayor who just recited this song, but Karl Burr the poacher.

## Metzelsupp

Eine gute Metzelsupp kann die Lebensgeister wieder aufrichten – schon der Dichter Ludwig Uhland wußte dies und widmete deshalb ein Gedicht dieser einfachen, aber guten Speise! Die Metzelsupp ist eigentlich ein „Abfallprodukt“, das beim Schlachten anfällt. Die Voraussetzung für eine gute Metzelsupp ist einmal, daß frisch geschlachtet wird, und zum anderen, daß ein paar Blut- und Leberwürste „aus Versehen“ platzen, damit die Suppe nicht gar zu dünn ist!
Einen großen Wurstkessel (etwa so groß, wie früher die Waschkessel waren) zur Hälfte mit Wasser füllen und zum Kochen bringen. Da hinein kommen nacheinander Knochen (es darf noch Fleisch dran sein!), Speck, Fleisch und Schwarten etc. Kleinere Stücke in ein Netz einlegen, man kann sie später besser herausfischen. Dazu kommt Suppengrün – ebenfalls in einem Netz –, und zwar

- 4–5 Stangen Lauch (Porree)
- 500 g gelbe Rüben
- 1 Sellerieknolle
- 2–3 Petersilienwurzeln
- 1 kg Zwiebeln

alles grob zerschnitten. Dieses Gemüse gart etwa eine Stunde mit. Die Zwiebeln können anschließend zur Wurstherstellung verwendet werden.
In die Brühe kommen dann die Kochwürste wie Leberwurst, Blutwurst. Dabei darauf achten, daß die Temperatur im Wurstkessel 80° nicht überschreitet (evtl. etwas kaltes Wasser zufügen), die Würste platzen sonst! Während des Garens die Würste immer wieder unter die Oberfläche drücken und eventuell mit einer Stopfnadel einige Male einstechen, damit sich die Einlage gleichmäßig verteilt. Die Würste sind nach ca. 1 bis 2 Stunden gar – je nach Dicke. Die Menge Metzelsupp, die serviert werden soll, aus dem Wurstkessel entnehmen und eventuell noch einmal mit Suppengrün und Lorbeerblatt ca. 30 Minuten kochen. Dann das Gemüse entfernen, die Suppe mit Salz, Pfeffer und Majoran abschmecken und in Teller füllen. Schwarzbrotwürfelchen in Schweineschmalz anrösten und zusammen mit frischen Schnittlauchröllchen über der Metzelsupp anrichten. Dazu schmeckt ein frisches Holzofenbrot.

*So säumet denn, ihr Freunde, nicht,*
*die Würste zu verspeisen,*
*und laßt zum würzigen Gericht*
*die Becher fleißig kreisen!*
*Es reimt sich trefflich Wein und Schwein,*
*und paßt sich köstlich Wurst und Durst;*
*bei Würsten gilt's zu bürsten.*

*Auch unser edles Sauerkraut,*
*wir sollen's nicht vergessen;*
*ein Deutscher hat's zuerst gebaut,*
*drum ist's ein deutsches Essen.*
*Wenn solch ein Fleischchen weiß und mild*
*im Kraute liegt, das ist ein Bild*
*wie Venus in den Rosen.*

*Und wird von schönen Händen dann*
*das schöne Fleisch zerleget,*
*das ist, was einem deutschen Mann*
*gar süß das Herz beweget.*
*Gott Amor naht und lächelt still*
*und denkt: „Nur daß, wer küssen will,*
*zuvor den Mund sich wische!“*

*Ihr Freunde, tadle keiner mich,*
*daß ich von Schweinen singe!*
*Es knüpfen Kraftgedanken sich*
*oft an geringe Dinge.*
*Ihr kennt jenes alte Wort,*
*ihr wißt: Es findet hier und dort*
*ein Schwein auch ein Perle.*

*Aus dem „Metzelsuppenlied“*
*von Ludwig Uhland*

## Butcher's broth

A good *Metzelsupp* can revive your spirits – the poet Ludwig Uhland already knew this and therefore dedicated a poem to this simple but good meal! *Metzelsupp* is an accidental product obtained when slaughtering. Essential for a good *Metzelsupp* is freshly slaughtered pork and that a few of the blood- and liver sausages burst in the soup.
Fill half of a big sausage boiler (about as big as the wash boilers used to be in former times) or any other big pot with water and bring to a boil. Add bones (there can still be some meat on them), uncured bacon, pork and pork rind and, if available, pig's knuckles. Put smaller pieces in a net for easier removal. Add, also in a net: 4–5 leeks, 1 lbs. carrots, 1 celery root, 2–3 parsley roots and 2 lbs. onions, all coarsely chopped, and cook for about 1 hour. In this broth cook freshly made liver sausages* (see p. 36) and blood sausages* (see p. 45) keeping an eye on temperature – it must not exceed 350° F (if necessary add some cold water) – since otherwise the sausages will burst. It is however desired that at least one or two of the blood and liver sausages burst to add to the taste of the soup. To achieve this result puncture with needle when sausages are almost done. Season soup with salt, pepper and mayoram and ladle into soup plates. Garnish with croutons of brown bread and finely chopped chives.
Serve meat separately with *Sauerkraut* und mashed potatoes or *Spätzle.*

One of the most popular poems of Ludwig Uhland, the famous nineteenth century Swabian poet whose 200th birthday was celebrated in 1987, is the *Metzelsuppenlied,* the "Song about the Butcher's Broth".
Uhland in this poem not only makes clear that swine rhymes with wine and wurst with thirst, but elevates the profane even further, when in his lines

*Wenn solch ein Fleischchen weiß und mild*
*im Kraute liegt, das ist ein Bild*
*wie Venus in den Rosen*

he compares a slab of pork laying on a bed of Sauerkraut with "Venus in den Rosen" or Venus in the roses. A turn of phrase that goes back to the times of the *Minnesänger,* the troubadours of the middle ages.
In any other but Uhland's words such a comparison would – so say the least – be more than risky. Uhland manages to evoke two contrasting pictures in these three lines. One of earthy lust the other of sublime beauty. He must have felt however that his analogy was likely to cause critical reactions and that its poetic substance was somewhat questionable, since in his last verse he says:

*Pray, my friends, don't scold me now*
*When of pigs I sing;*
*There have at times been stronger thoughts*
*Tied to a lesser thing*
*And, without doubt, you are aware*
*That on occasion here and there*
*Also a pig may find a pearl.*

* Fresh blood and liver sausages are available at almost every German butchershop on Tuesdays.

Bei seinen Auftritten ist mitunter etwas vom Schmerz des Lustigen, und in seinem Wanderbuch, das ihn als „Max Unterwegs“ ausweist, findet sich ebenso ein Gutschein „für einen altbackenen Wecken, der sich zum Einbrocken in eine lauwarme Suppe eignet“, wie eine mit dem Staatssiegel No. 1 versehene Urkunde des Wortlauts:
„In Anbetracht der Furcht, die die Landesregiegung überfallen hat, weil der Oberbürgermeister der Landeshauptstadt möglicherweise mit den vornehmen Sitten eines Stuttgarter Landgerichts, nicht aber mit der grobschlächtigen Art der Verhandlungsführungen des Grobgünstigen Stockacher Narrengerichts vertraut ist, geben wir ihm als listig kenntnisreichen Galgenvogel den Landstreicher Max, der nicht nur Fachkenntnisse in allen Gefängnissen des Südweststaates hat, sondern auch alle Richter und Gauner dieses Landes kennt, zur mannhaften Verteidigung bei. Die Kosten seines Rechts- und Saufbeistandes trägt die Staatskasse.“
Die Urkunde ist datiert vom 25. 2. 1987 und unterschrieben von Lothar Späth.
Rommel hat damals übrigens dem Max bescheinigt, daß er seinen Auftrag nicht habe ausführen können, da er, Rommel, ihn nicht gebraucht habe, und hat ihn seinerseits eingeladen, soviel zu trinken, wie er könne, damit er keine Einbuße erleide.

*

Max, der Landstreicher, mit bürgerlichem Namen Friedrich Ströbele, von Profession Schulleiter in Trochtelfingen und von Berufung Erzfasnetsnarr und Menschenerkunder, hat sich vor mehr als zwanzig Jahren aus dem offiziellen Fasnetsrummel ausgeklinkt, um allein und in der Verkleidung eines Landstreichers in der Zeit zwischen Dreikönig und Aschermittwoch der närrischen und nicht so närrischen Welt auf den Zahn zu fühlen.

*Friedrich Ströbele, Schulleiter in Trochtelfingen.*
*Friedrich Ströbele, Headmaster in Trochtelfingen.*

Es ist ein seltsames Zwitterleben, das er in dieser Zeit führt.
Da ist einmal der gerngesehene, ja begehrte, gelegentlich sogar bejubelte, weil verkleidete Edellandstreicher, Persona grata bei Prunksitzungen, Ehrenmitglied von Karnevalsgesellschaften, vielgesuchter Fasnetsgast, Freund von Landräten und Ministern. Und dann der Landstreicher, den man im Gasthaus nicht bedient oder mit wüsten Beschimpfungen hinausschmeißt, von dem man, wenn er die Messe besucht, in der Kirchenbank abrückt und an dem man auf der Straße entweder geflissentlich und etwas irritiert vorbeischaut oder ihn mit Blicken tiefster Verachtung straft. Je nachdem, ob man weiß, wer er wirklich ist, oder sein Rollenspiel für bare Münze nimmt.

Erstaunlicherweise geht Max nach zwanzig Jahren solch närrisch-bitterernster Verkleidung immer noch am liebsten dahin, wo man ihn nicht kennt. Einmal, um in der närrischen Zeit sein eigenes Narrenspiel zu treiben, in sein anderes Ich zu schlüpfen, den Schulleiter, Dekanatsrat, Pfarrgemeinderat, Stadtrat an den Nagel zu hängen, dann, um „hehlinge“ herauszufinden, ob die Deutschen und insbesondere die Schwaben Randgruppen gegenüber – und dazu zählen ja bekanntlich auch Landstreicher und Penner – tatsächlich so tolerant geworden sind, wie sie immer tun, und schließlich, um den immer stärker wuchernden Bürokratismus und Verwaltungsaufwand mit überspitzten Ansuchen um Durchreise, Aufenthalts- und Arbeitsgenehmigungen, allen Arten von Empfehlungen und Sondergenehmigungen etwas bloßzustellen.
Zu diesem Zweck führt er ein Wanderbuch mit sich, das – inzwischen bei der elften Ausgabe angelangt – eine Art Zeitdokument geworden ist.
Einmal ist er wegen dieses Wanderbuches sogar eingelocht worden. Er war in Konstanz und wollte in die Schweiz. Der Beamte stellte fest, daß die einzelnen Seiten des Wander-

buches aus dem gleichen Papier waren, das für Pässe verwendet wird, und sah den Tatbestand der „Paßfälschung" als gegeben an. Alle Hinweise auf die Entwertung der Paßseiten und auf die im Wanderbuch eingetragenen Empfehlungen des damaligen Landesvaters Filbinger und des Trochtelfinger Landrats halfen nichts. Nicht einmal ein Anruf beim Bürgermeister von Trochtelfingen nutzte. Erst als Max aus seinem am Stadtrand geparkten Auto den Führerschein holen ließ und sich seine wahre Identität anhand dieses offiziellen Dokuments herausstellte, ließ man ihn wieder frei.

*

Auf das Auto, das er immer außerhalb der Stadt parkt, ist Max angewiesen, weil er sonst das während der Fasnet auferlegte Pensum an Einladungen und Erkundungszügen nicht absolvieren könnte. Das Auto und die allabendliche Heimkehr an den heimischen Herd sind es denn auch, die ihn von einem echten Landstreicher am meisten unterscheiden. Trotzdem akzeptieren ihn die Landstreicher als ihresgleichen, wenn er auch in seiner Kostümierung manchmal fast echter aussieht als sie selbst.

In seinem Wanderbuch finden sich nicht nur Eintragungen von Ministern und Bürgermeistern, sondern auch von Herzögen und Ordensschwestern. So die Bescheinigung der Generaloberin des Klosters Sießen bei Saulgau, die ihm auf Lebenszeit ein Anrecht auf eine tägliche Klostersuppe zusichert, oder der Eintrag Herzog Carls von Württemberg, der ihm allzeit ein Durchreisequartier im Friedrichshafener Schloß garantiert.
Solche Eintragungen sind nicht nur närrisches Dekor, sondern haben einen handfesten Nutzen. Max der Landstreicher, der, wenn er unterwegs ist, außer einer Handvoll Pfennigen kein Geld bei sich führt, ist, will er nicht den ganzen Tag hungern, auf Klostersuppen und milde Gaben angewiesen. So kann es auch vorkommen, daß er, wie andere Landstreicher auch, auf Vorrat ißt. Jedenfalls immer dann, wenn er etwas umsonst bekommt. Mit Pfennigen, das hat er inzwischen längst festgestellt, kommt man hierzulande nicht weit. Pfennige sind in manchen Lokalen und Cafés keine Währung mehr. Mehr als einmal mußte er hören: „Wir nehmen keine Pfennige." Als stille Reserve hat er deshalb immer ein Stück bockelharte Schwarzwurst bei sich.

Max der Landstreicher hat nicht nur Empfehlungen hoher und höchster Herrschaften, er verschafft sich, und auch dies ist ein Teil seiner Rolle des bewußten Provozierens, in seinem Landstreicheraufzug Einlaß zu hohen und höchsten gesellschaftlichen Ereignissen der Fasnacht. Vor einigen Jahren wollte er sich bei einem großen Fasnachtsempfang, der in Lindau für Franz Josef Strauß gegeben wurde, bei dem bayerischen Regierungschef eine Durchmarschgenehmigung für Bayern holen.
Es dauerte eineinhalb Stunden, bis er die sechs Sicherheitsbeamten von Strauß überlistet hatte und in den Saal kam.
Der erste, der ihn erspähte, war der Protokollchef des Lindauer Fastnachtspräsidenten. Der Max umging ihn und das Defilee von Gästen, die darauf warteten, Strauß vorgestellt zu werden, und trug Franz Josef seine Bitte vor. Der zögerte zuerst, schrieb aber doch in sein Wanderbuch: „Durchmarschgenehmigung durch Bayern. F. J. Strauß, Fasnacht, Lindau 1983." Und Max Heubl, der jetzige Landtagspräsident, fügte hinzu: „Max darf einreisen, aber auch wieder raus."

Whenever he turns up there is always an element of melancholy in his good cheer, and in his *Journeyman's Book,* which identifies him as *Max the Tramp,* one finds not only a "voucher for an old roll to dunk into a bowl of lukewarm soup", but also an official-looking document with the seal of the State of Baden-Württemberg and the words:
"In due consideration of the fear that has befallen the State Government inasmuch as the Lord Mayor of the State Capital may possibly be familiar with the refined manners of the Stuttgart High Court, but not with the uncouth methods of the *High and Mighty Fools Court of Stockach**, we have decided to send to his aid and defense *Max the Tramp,* a knowledgable and cunning rogue who not only knows all the jails in this country but also all the judges and scoundrels. His drinking bouts and judicial costs will be borne by the Treasury."
The document is dated February 25th, 1987 and is signed by Lothar Späth, Minister President of this state.
For his part, the Lord Mayor, Rommel, made an entry to the effect that Max could not fulfill these commitments, as he, Rommel, did not need any such help, but invited Max to drink as much and as long as he could, so that he would not suffer any loss.
*Max the Tramp,* in everyday life known as Friedrich Ströbele, a headmaster by profession, arch-rogue and exposer of the follies and frailties of human nature, decided twenty years ago to leave the ballyhoo of official carnivalizing or *Fasnet* as it is called hereabouts, to explore, disguised as a tramp, the foolish and not so foolish world at a time when the main carnival season is in full swing. That is the time between the 6th of January, *Dreikönigstag,* a German holiday, celebrating the visit of the three kings to Jesus in Bethlehem, and Ash Wednesday.
It's a strange life he leads during this period. On one hand he is the popular, much sought after, occasionally even cheered "King of Tramps", *persona grata* at Carnival galas, Honorary Member of Carnival Associations, friend of ministers and district officials, headmaster, deacon, church and city council member. Then there is, same man, same costume, the ordinary tramp who won't be served in restaurants, or even gets kicked out with rude insults. When he attends mass, churchgoers shy away and passers-by avoid looking at him, or eye him with cold contempt. It all depends upon whether they know who he really is, or are taken in by his masquerade.
Amazingly enough, even after twenty years of such clownish-bitter disguise, he prefers to go where he is not known, to play his carnival role. Slipping into an "alter ego", leaving the headmaster, deacon, church and city council member behind. Spying a little on his fellow Swabians to see if they really have become as tolerant towards minorities (including tramps and the like) as they claim. Lastly unmasking bureaucracy a little with faked applications for Transit, Entry and Permanent Residence Permits, pleas for recommendations and all sorts of special licenses. For this purpose he has thought up his *Journeyman's Book for the Underprivileged Itinerant.*
The *Journeyman's Book* is made up of passport paper taken from old, cancelled passports and because of these papers he was even arrested once. This was in the City of Konstanz at Lake Constance when he wanted to enter Switzerland and he was charged with forging an official document. Only after presenting his driver's license, which he had left in his car on the outskirts of the city, was he released.
Only the car and the fact that he returns home every evening sets him apart from real tramps, but he is dependent on it to cover the large territory of *Fasnet* events. Otherwise he leads a tramp's life, which, during the time of year he has chosen to play his role, is miserable and cold.

* The High and Mighty Fools Court is the fictious court of the Stockach carnival club.

## Zwiebelkuchen

| Hefeteig: |
| --- |
| 10 g frische Hefe |
| ca. 1/8 l lauwarme Milch |
| 250 g Weizenmehl |
| 60 g Schweineschmalz oder Butterschmalz |
| 1 Prise Salz, 1 Ei |
| Belag: |
| 1 kg Zwiebeln |
| 80 g Räucherspeckwürfel oder Grieben |
| 30 g Butterschmalz |
| 60 g Weizenmehl |
| 1/4 l saurer Rahm |
| 3–4 Eier, getrennt |
| etwas Salz, 1 Eßl. Kümmel |
| Butterflöckchen |

Die Hefe zerbröckeln, mit etwas Milch und 2 Eßlöffeln Mehl verrühren. Das restliche Mehl in eine Schüssel oder auf ein Backbrett sieben, in die Mitte eine Vertiefung drücken, den Vorteig hineinfüllen und mit etwas Mehl bestäuben. Den Teig an einem warmen, zugfreien Ort so lange gehen lassen, bis die Mehldecke aufreißt. Nun alle übrigen Zutaten mit dem Vorteig gut verarbeiten und den Teig so lange kneten, bis er sich von der Schüssel oder der Hand löst. Den Teig abdecken und so lange gehen lassen, bis er sein Volumen etwa verdoppelt hat. Der Hefeteig kann auch mit Trockenhefe (Anleitung beachten) und mit Hilfe der Küchenmaschine zubereitet werden.
Während der Teig geht, den Belag zubereiten: Die geschälten Zwiebeln klein würfeln, mit den Speckwürfeln oder Grieben im zerlassenen Fett glasig werden lassen. Das Mehl mit dem Rahm glattrühren, Eigelb, Salz, Kümmel und die abgekühlten Zwiebeln untermischen und zuletzt das steifgeschlagene Eiweiß unterziehen. Von der Sahne-Ei-Mischung eine Tasse zurückbehalten. Eine Springform gut fetten, den Hefeteig auswellen, in die Form legen und die Ränder etwas hochziehen. Den Belag gleichmäßig auf dem Teig verteilen, die restliche Sahne-Ei-Mischung darübergeben, Butterflöckchen aufsetzen und den Zwiebelkuchen im vorgeheizten Backofen bei 200–225° C ca. 35–40 Minuten backen.
Zwiebelkuchen schmeckt nur warm! Gut zu Federweißem (neuem Wein) oder Moscht!
Zwiebelkuchen kann auch mit Mürbteig bereitet werden.

## Onion tart

| Yeast dough: |
| --- |
| 0.4 oz. fresh yeast |
| about 1/4 cup lukewarm milk |
| 1 cup wheat flour |
| 2 1/2 oz. lard or clarified butter |
| pinch of salt, 1 egg |
| topping: |
| 2 lbs. onions |
| 3 oz. diced smoked bacon or crackling |
| 2 tbsp. clarified butter |
| 2 1/2 oz. wheat flour |
| 1/2 cup sour cream |
| 3–4 eggs, separated |
| some salt, 1 tbsp. caraway seed |
| small pats of butter |

Crumble yeast, stir with some milk and 2 tablespoons of flour. Sift remaining flour into a bowl or on a board, make a little hollow in the middle. Fill with yeast mixture and sprinkle with some flour. At a warm, draft-free place let dough rise until surface tears. Now work thoroughly all other ingredients into yeast mixture and knead until dough no longer sticks to sides of bowl or hand. Cover and let rise until about double in size. – Dough can also be prepared with dry yeast (follow instructions) and with help of dough mixer.
While dough rises prepare topping: Chop skinned onions and together with bacon dices or crackling fry in melted fat until translucent. Blend flour with sour cream, mix in egg yolks, salt, caraway seeds and cooled-off onions and at last fold stiff beaten egg whites into it. From cream-egg-yolk mixture keep one cup back. – Grease baking dish thoroughly, roll out yeast dough, place in dish and pull up edges a little. Spread onion mixture evenly on dough, pour remaining cream-egg-yolk mixture over it all and put on small pats of butter. Bake onion tart in preheated oven for about 35–40 minutes at 390–440 degrees. Onion tart only tastes good warm! Good with fermenting new wine or *Moscht.*
Onion tart can also be prepared with short crust pastry.

*Otto Haag – Ehrenpräsident des Weinbauverbandes Württemberg in Heilbronn*

*Otto Haag, wine-grower in Heilbronn*

Im Ersten Weltkrieg mußte Otto Haag oft wochenlang Schule Schule sein lassen und dem Großvater im Wengert helfen. Der Vater war im Krieg, und die Arbeit mußte getan werden. Selbst jetzt, mit einundachtzig, ist er noch im Wengert; etwa beim Abzeilen, dem Anlegen einer Junganlage, wobei er dies noch nach der alten Art, mit der Hackhaue, macht und nicht mit einer Pflanzzange. Er arbeitet auch noch mit dem Karst, jener auf biblische Zeiten zurückgehenden Hacke, die er auch für den Garten nimmt, weil man den Boden damit besser mischen kann. Die Jungen, meint er, machen's mit Maschinen.

Seine erstaunliche körperliche wie geistige Vitalität führt er auf die tägliche Arbeit zurück. „Jeden Tag frische Luft und Arbeit, daß mer schnaufe mueß." Und: „Du muasch denka jeden Tag."

Geistige Arbeit im Verein mit der körperlichen ist Tradition in der politischen Wengerterdynastie der Haags.

Der Urgroßvater, Martin Haag, gehörte von 1893 bis 1898 dem Deutschen Reichstag als Abgeordneter der Deutschen Volkspartei an. Trotz politischer und berufsständischer Aufgaben und seiner Arbeit als Wengerter fand er noch Zeit, Verse zu schmieden.

Der Großvater, Wilhelm Haag, der zunächst im Württembergischen Landtag, dann von 1920 bis 1924 Abgeordneter der Deutschnationalen Volkspartei im Reichstag war, zitierte deutsche Klassiker und verblüffte bei der Arbeit im Wengert durch außerordentliche Körperkraft.

Der Vater, Heinrich Haag, der von 1924 bis 1934 dem Reichstag als überzeugter Bauernbündler angehörte – konservativ im besten Sinn des Worts –, als Vizepräsident des Deutschen Weinbauverbandes zudem ein engagierter Streiter für die Belange des Weinbaus, war ein brillanter Redner und außerordentlich vielseitig interessierter Mensch.

Otto Haag schließlich, geboren am 7. Juni 1906, rundet das Bild ab. Obwohl er sich nicht als geborenen Politiker betrachtet, war er Abgeordneter der FDP/DVP im Baden-Württembergischen Landtag und fast zwanzig Jahre Präsident des Weinbauverbandes Württemberg, zudem von 1965 bis 1971 Stadtrat in seiner Heimatstadt Heilbronn. Er war es, weil er sich dem Gemeinwohl, seinem Berufsstand und seiner Heimatstadt verpflichtet fühlte.

Dabei hat ihn eigentlich immer schon das Musische mehr angezogen. So war er Singleiter in der Jugend- und Singbewegung der zwanziger und dreißiger Jahre, Gründungsmitglied des Heinrich-Schütz-Chors und baute nach Krieg und Zerstörung den Nikolai-Chor neu auf.

Er singt heute noch mit seiner Tochter und deren Freundinnen, wobei ihn der dreistimmige Satz – für den er Lieder selbst bearbeitet – interessiert, neben Bach-Kantaten, aus denen er seinen Besuchern gelegentlich vorspielt.

Die geistige Auseinandersetzung und den Dingen auf den Grund zu gehen war Otto Haag, in dessen Elternhaus Theodor Heuss verkehrte und zu dessen Freundeskreis Männer wie der „Schwarzriesling-Schneider" und der „tausendjährige Wengerter" und spätere Minister Fritz Ulrich gehörten, von jeher so wichtig gewesen wie die Arbeit im Wengert.

Da hatte er immer etwas Angst vor dem „schwera Gschäft" – hacken, pfählen, im Winter Reuten oder Kies tragen.

Er war mit seinen 112 bis 120 Pfund „a leichter Ma". Dafür hat er dann länger g'schafft; oft bis in die Nacht hinein. Was allerdings nicht hieß, daß er sich nach Feierabend nicht auch seine ein, zwei Viertele als Schlaftrunk gönnte.

Tabletten hat er sein Leben lang nicht gekannt.

Jetzt im Ruhestand ist Otto Haag dabei, mit einigen Freunden die alten Zeiten des Weinbaus in einem Museum festzuhalten. Er glaubt es nicht nur seiner Weinbaugeneration schuldig zu sein, sondern mehr noch denen, die nachkommen werden.

As a little boy he had to play hooky for weeks on end to help his grandfather in the vineyards. That was during World War I, when his father was away, fighting in the war. Work in the vineyards could not wait. Even now, at 81 work sometimes can't wait and he's in the vineyards helping to plant new vines, or doing something or other. His tools are a hoe and the traditional *Karst,* that winegrowers' tool that goes back to biblical times. Sometimes he even uses the *Karst* in the garden "because you can work the soil better with it than with a spade", he says. His amazing physical and mental fitness he attributes to his daily chores. "Work every day, but not just a little, you have to sweat – and think everyday."

*

Mental work together with physical work have a long standing tradition in the "Winegrowing Dynasty" of the Haags.
Great grandfather, Martin Haag, belonged to the German Reichstag, the German National Parliament, from 1893 to 1898, as a delegate of the *Deutsche Volkspartei.* Despite his many political duties and his work as a winegrower he found enough time to write poetry. Grandfather Wilhelm Haag, who was first a member of the State Assembly and then, from 1920 to 1924 member of the German Reichstag recited German classical literature and amazed everyone in the vineyards with his immense physical strength.
His father, Heinrich Haag, who was also in the Reichstag from 1924 to 1934 as a member of the *Bauernbund* (the farmer's party) and who was vice president of the German Winegrowers Association, was a brilliant orator and a man with a large range of interests. Otto Haag, born on June 7th, 1906 rounds off the list.
Although he never considered himself a "born politician", he was not only a member of the Baden-Württemberg State Parliament, and, for twenty years running, President of the Württemberg Winegrowers Association, but also a City Councillor in his hometown of Heilbronn from 1965–1971. He took on these offices, he says, because he felt committed to the public, to his profession and to his hometown. In fact he has always been more artistically inclined than politically.

He was one of the founder members of the famous Heinrich Schütz Choir and also sang in the Nicolay Church Choir. In an all-male choir he could sing bass or tenor and in a mixed choir he could sing in all keys. He even sings today, at eighty-one, with his daughter and her friends. Arrangements for three voices, which he writes himself, appeal to him most. That, and playing Bach cantatas for occasional visitors. The mental challenge in getting to the bottom of things and questioning their reality has always been as important to Otto Haag – in whose parents' house the first president of the Federal Republic, Theodor Heuss, often came as a young student and who befriended such renowned winegrowers as *Schwarzriesling-Schneider* and "thousand-year winegrower" Fritz Ulrich – as was his work in the vineyards. In the vineyards he was always a little afraid of heavy work. Weighing only 120 pounds, at five foot six he was a lightweight. To make up for his lack of physical strength he worked twice as hard and twice as long as others, often until late into the night. "My wife and I worked harder than we had to. My uncle often said: 'You're working yourself to exhaustion.' I couldn't help it. Work in the vineyards could not wait."
Now, in retirement, Otto Haag is, with the help of some friends, busy founding a museum to document the old times of winegrowing in the Heilbronn area. He believes he owes that not only to his own generation but even more to the generations to come.

## Saure Kutteln

1,25 kg vorgekochte Kutteln
400 g Zwiebeln
80–100 g Schweine- oder Butterschmalz
3/4 l Rotwein (Trollinger oder Lemberger)
1 Schuß Rotweinessig
1 mit 2 Nelken gespickte Zwiebel
2 Lorbeerblätter, 4–5 Wacholderbeeren
einige Pfefferkörner
Salz und frischgemahlener Pfeffer
Mehlschwitze aus 20 g Butter, 40 g Mehl
4 Eßl. Sauerrahm
Beilage: Röstkartoffeln (Bratkartoffeln)

Die vorgekochten Kutteln in feine Streifen schneiden, sofern Ihr Metzger das noch nicht getan hat. Die Zwiebeln klein würfeln, im heißen Fett anbraten, dann die Kuttelstreifen zugeben, kurz mitbraten, Wein und Essig zugießen und die Gewürze zugeben. Die Kutteln ca. 30–60 Minuten sanft kochen (je nachdem, wie lange sie vorgekocht waren – am besten einfach probieren). Die Spickzwiebel und die Lorbeerblätter aus der Soße nehmen, mit Salz und Pfeffer abschmecken. Vor dem Anrichten die Mehlschwitze mit dem Sauerrahm und etwas Soße verquirlen und unter die Kutteln rühren. Zu den Kutteln schmekken ein gutes Viertele und Röstkartoffeln.
Kutteln, die man beim Metzger kaufen kann, stammen aus den vier Teilen der Rindermägen. Jeder Teil sieht etwas anders aus – am bekanntesten sind Pansen und Labmagen.
Nicht vorgekochte Kutteln werden mit Wasser, dem ein gehackter Kalbsfuß und ein Teelöffel Natron beigegeben sind, aufgesetzt. Das Natron bewirkt, daß die Kutteln schön hell bleiben. Nach dem ersten Aufkochen wird das Wasser abgegossen und durch neues ersetzt. Nach etwa 4–5 Stunden sind die Kutteln dann soweit, daß sie wie oben beschrieben weiterverarbeitet werden können.

## Tripe in sour sauce

2 1/2 lbs. tripe, precooked
14 oz. onions
1/3–1/2 c. lard or clarified butter
1 1/2 cup red wine *(Trollinger)*
a dash of red wine vinegar
1 onion studded with 2 cloves
2 bay leaves
4–5 juniper berries
some peppercorns
salt and freshly ground pepper
roux made from:
1 tbsp. butter and
1/3 c. flour
1/2 tbsp. sour cream
side-dish: fried potatoes

Cut precooked tripe in fine stripes – if your butcher hasn't done it already. Chop onions, fry in hot fat, add tripe, fry briefly, add wine and vinegar and spices. Cook tripe gently for about 30–60 minutes (depending on how long they were cooked before) – the best thing is to test! Take studded onion and bay leaves out of sauce and flavor with salt and pepper. Before serving whisk sour cream and some sauce into roux and stir into tripe. Good served with fried potatoes and Trollinger (Württemberg red wine) or any other German dry red wine. Tripe, which you can buy at the butcher come from the four parts of the stomach of the cow. Each part looks a bit different – the best known are paunch and maw. Tripe which are not precooked, are cooked in water to which chopped calf's trotters and 1 teaspoon of baking soda are added. The effect of soda is that tripe remains light in color. After the first boil, water is poured off and substituted with fresh water. After about 4–5 hours tripe is ready for being prepared in the above mentioned way.

stoßenen Nelken, kehrt die Stücke darin um und backt sie langsam in Schmalz, daß sie saftig bleiben und ja nicht hart werden. Wenn das Fleisch auf Brod abgelaufen ist, thut man es in eine Kasserolle, ein Glas Wein, einen Schöpflöffel voll Fleischbrühe, ein Lorbeerblatt und ein paar Zitronenscheiben dazu, und kocht es so lange auf Kohlen, bis es wenig Sauce mehr hat.

## 559. Fricassée von Kuttelfleck.

Die sehr rein geputzten und in mehreren Wassern gewaschenen Kuttelflecke werden in kochendes Salzwasser gelegt, einige Zwiebeln, gelbe Rüben und ein Lorbeerblatt dazu gethan und mehrere Stunden lang sehr weich gekocht. In einer Kasserolle läßt man vier Loth Butter zergehen, röstet zwei kleine Kochlöffel voll Mehl darin weiß, gießt zwei Schöpflöffel voll gute Fleischbrühe daran, thut fein geschnittene Petersilie, ein wenig abgeriebene Zitronenschale, den Saft von einer halben Zitrone und etwas Muskatnuß daran, die geschnittenen Kuttelflecke dazu, läßt dies zusammen noch eine Viertelstunde kochen, verrührt dann zwei bis drei Eidotter, gießt von der Sauce unter immerwährendem Rühren daran und gibt sie sogleich zu Tische oder füllt sie in Pasteten.

## 560. Kuttelflecke, sauer gekocht.

Nachdem die Kuttelflecke wie die vorhergehenden weich gekocht sind, röstet man zwei bis drei Kochlöffel voll Mehl in vier Loth Butter braun, dämpft eine fein geschnittene Zwiebel darin, gießt zwei Schöpflöffel voll gute Fleischbrühe, zwei Eßlöffel voll Wein und ebensoviel Essig dazu, würzt es mit Salz und Pfeffer und etwas gestoßenen Gewürznelken, legt die geschnittenen Kuttelflecke in die Sauce und läßt sie eine Stunde kochen.

## 561. Ragout von Eiern.

Für eine kleine Platte siedet man acht Eier hart, schält solche, schneidet sie der Länge nach entzwei, nimmt die Dotter in ein kleines Geschirr und zerdrückt sie wohl mit einem Löffel; so viel Eier, so viel Zwiebeln von mittlerer Größe schneidet man

*Reprint: "Neues Kochbuch von J. L. Löfflerin", Stuttgart, 1858*

Unter all den Nachfolgern jenes Albrecht Ludwig Berblinger, der als Schneider von Ulm in die Geschichte einging, ist er der ausdauerndste und seltsamste. Auf eine faszinierende Weise träumt er – in einer Zeit, in der die Menschen sich anschicken, ihre Konflikte auf das Weltall auszudehnen – den uralten Menschheitstraum, aus eigener Kraft wie ein Vogel fliegen zu können. Nicht der Sonne entgegen oder über Meere und Kontinente, sondern ziemlich genau 18 Meter über dem Erdboden, von einem schwäbischen Dorf zum anderen.

Gustav Mesmer wurde am 16. Januar 1903 im oberschwäbischen Alzhausen als sechstes von zwölf Kindern von Richard und Fanny Mesmer geboren. Der Großvater, Josef Mesmer, war Schultheiß.

Mehrere Familienmitglieder sollen künstlerisch begabt gewesen sein. Ein Bruder wurde Bildhauer und lebt heute bei Rottenburg. Seine Schulausbildung wird in der dritten Klasse durch eine Krankheit unterbrochen. 1917, nach Beendigung der Schulzeit, geht er in die Landwirtschaft und arbeitet auf mehreren Gütern der Umgebung, zuletzt im Kloster Untermarchtal. Dort wird er von den Schwestern überredet, ins Kloster zu gehen.

„I war Praktikant, ond do hent die Schweschtera emmer gsait: ‚Ha, Sia gäbet so a schöns Päterle.'"

1922 tritt er als Bruder Alexander in das Benediktinerkloster Beuron ein. „Da war i sechs Johr. Do ben i dann krank worda. No hent se gsait, se wellet me net vierzg Johr verhalta. Daß i koin Astand kriag mit'm Gsetz, hend se me a falsche Profess macha lau ond hend me a halbs Jahr nach Heidelberg ins Stift Neuburg gschickt."

Er war krank geworden, weil, wie er sagt, er alles zu ernst genommen habe.

*Gustav Mesmer – Pionier des Muskelkraftfluges in Buttenhausen.*

*Gustav Mesmer, protagonist of muscle-driven flying machines in Buttenhausen.*

Man schickt ihn vom Stift Neuburg zurück ins Kloster Untermarchtal, von wo er Reißaus nimmt und ins Elternhaus zurückkehrt. Der Vater nimmt ihn wieder auf, und mit sechsundwanzig, im Januar 1929, beginnt er eine Schreinerlehre. Wenig später, im März desselben Jahres, unterbricht er in der Lutherischen Kirche in Alzhausen den Gottesdienst und hält selbst eine Predigt. Einige Tage darauf kommt er in die Heilanstalt Schussenried, wo man eine Schizophrenie diagnostiziert. Siebzehn Jahre soll er dort verbringen. Immer wieder, insgesamt achtmal, versucht er zu fliehen, wird immer wieder aufgegriffen. In Schussenried lernt er die Buchbinderei, das Korbflechten und die Sattlerei. In Schussenried beginnt er auch, angeregt durch Abbildungen eines Franzosen und eines Österreichers, die Flügel für ihre Fahrräder bauten, seine ersten Flugobjekte zu zeichnen. In seiner Krankengeschichte ist erstmals mit Eintrag vom 10. Oktober 1932 lapidar vermerkt: „Hat eine Flugmaschine erfunden, gibt entsprechende Zeichnungen ab." Seine ersten Modelle eines „Selbstkraft-Luftreise-Zeug", wie er es nennt, entstehen 1936. In einer Eintragung vom 5. Juni 1937 heißt es: „Ist guten Humors, zeichnet immer wieder neue Flugobjekte, über welche schon der Laie den Kopf schüttelt." (Hartmut Kraft, „Grenzgänger zwischen Kunst und Psychiatrie")

Als der Krieg zu Ende war, bat er einen neu eingesetzten Arzt um Versetzung in eine andere Anstalt. Er wollte, wie er sagte, keine Pfleger mehr sehen. So kam er zunächst nach Weißenau und nach elf Jahren, mit Unterstützung seines Bruders, in das Landheim Buttenhausen, wo er seit nunmehr zwanzig Jahren lebt.

Obwohl er schon in Weißenau unterhalb der Bäckerei so etwas wie einen Arbeitsraum hatte, bekommt er nun in Buttenhausen erstmals einen unbenutzten Raum als Werkstatt. Aus den Zeichnungen und kleinen Modellen entstehen nunmehr endlich die großen Schirmhubschrauber, das Achselschwingengerät, der Dreischirmgleiter, die er für seine Flugversuche auf ein altes Fahrrad montiert. Das Fluggerät schiebt er den Berg hinauf, um dann auf einer immer schneller werdenden Talfahrt ratternd und scheppernd mit drehenden, kreischenden Flügeln und flatternden Bespannungen einen Start zu versuchen, der meist erfolglos in einem Gebüsch endet. Trotzdem läßt er sich nicht entmutigen. Richtig abgehoben hat er bis jetzt nur einmal, etwa eine Handbreit hoch. „Oimol ben i au höher. Do hot me dr Sturm packt. Do ben e aus'm Wald rauskomma, ond do packt me a Bö ond hot me hochgnomma ieber d' Wies nonter. Zerscht hots me in dr Luft omdreht, ond dann ben i uf da Boda nagsackt." Passiert ist ihm nichts. Für besonders stürmische Flugversuche hat sich Mesmer einen Brustpanzer mit fest montiertem Sturzhelm gebaut. Einen Fallschirm braucht er nicht. Selbst wenn er jemals die ersehnte Flughöhe von 18 Metern erreichte, würde ihm ein solcher nichts nützen. Trotzdem hat er für Notfälle Vorkehrungen getroffen. „I han Galoscha mit Sprungfedera." Jeweils eine Sprungfeder an Sohle und Absatz. Galoschen deswegen: „Daß ma d' Schuah it ausziaga muaß." Die Galoschen hat er auch schon ausprobiert. Von seinem zwei Meter hohen Hochstand auf dem Übungsgelände, das ihm als „Flugplatz" zugewiesen worden ist. Allerdings hatte er vorsichtshalber unterhalb des Hochstandes einen Strohhaufen aufgeschichtet.

Gustav Mesmer hat an die hundert Flugobjekte geschaffen. Die meisten allerdings nur als Konstruktionszeichnung und Modell. Es ist eine phantastische Sammlung. Manche der größeren Ausführungen erinnern an Objekte von Beuys, andere an Skulpturen von Picasso. Unter all den Läuferdrachen, Sackschwingern, Siebdrachenflugfahrrädern, Drachenzeppelinen, Hängegleitern mit Mittelkufe, Röhrendeckern ist auch ein Maikäferflieger. Mesmer sagt, er habe dazu den Flügeln eines Maikäfers die Gestalt eines Bumerangs gegeben. Auf der farbig ausgemalten Konstruktionszeichnung hat er auch einen Gockel gemalt, der ja bekanntlich Maikäfer frißt. „Halt, daß ebbes do isch."

Seit einiger Zeit baut er auch Musikinstrumente. Aus den gleichen Abfallmaterialien, aus denen er seine Flugobjekte baut. Den Böden von Blecheimern, Kartons, Hutschachteln, Holzstücken, Schaumstoffbrokken. Die Musikinstrumente sind so ungewöhnlich wie seine Flugobjekte. Eine Trompetengeige, bei der anstelle eines Resonanzbodens ein etwa 40 cm langes Schallrohr angebracht ist. Bei einem anderen Zupfinstrument mit zwei untereinanderliegenden Stegen kann man mittels eines Blechbügels alle acht Saiten auf einmal spielen. Eine Sackgeige kann nur am Hals bespielt werden, und aus einer Muschelmandoline kommt der Ton nur aus einer kleinen Öffnung an der Seite heraus. Das seltsamste Instrument ist eine Sprechmaschine.

„Dia han i gmacht, weil i em Sprecha so schlecht ben." Die Sprechmaschine rasselt in verschiedenen Tempi und Tonlagen. Auf der Sprechmaschine sind die Buchstaben des Alphabets in verschieden großen Rädchen, einmal aus Blech, dann wieder aus Karton, allerdings nicht alphabetisch angeordnet.

„I han's eba zamabaut, aber nochher war's it nach'm Alphabet." Laut Mesmer kann man die Maschine so einstellen, daß sie ganze Sätze von sich gibt. Zur Zeit hat er in der Maschine nur das Wort Fahrrad eingestellt. „Auto", sagt er, „han i in meiner Sprechmaschin it drin, bloß Fahrrad."

*

Mesmers Flugobjekte und Bilder vom Fliegen sind inzwischen, ebenso wie seine Instrumente, mehrmals auf Ausstellungen zu sehen gewesen. Im Kunstmuseum Lausanne, in der Städtischen Kunsthalle Recklinghausen und zuletzt in Ulm anläßlich des 175. Jahrestages des ersten Flugversuchs des Albrecht Berblinger. Dort war er auch Ehrengast. Ob Mesmer jemals sein Ziel erreichen wird, aus eigener Kraft von Dorf zu Dorf zu fliegen, ist zumindest unsicher. Eines aber hat er mit Sicherheit erreicht: Was er sich selbst in einem Brief vom 20. März 1982 als Maxime setzte. „Der Mensch muß wissen, daß er da war."

Of all the daydreamers who were to follow in the footsteps of that ill-fated tailor of Ulm, Albrecht Ludwig Berblinger, who fell into the Danube in November of 1811 when attempting to fly over it with the help of a pair of self-constructed wings, Gustav Mesmer is the most persevering and certainly the strangest. In a fascinating way he is trying to realize that age-old dream of man, to fly like a bird. Not up and away over oceans and continents, but exactly at an altitude of 18 meters, from one Swabian village to another.

Gustav Mesmer was born in Alzhausen in Upper Swabia as the sixth of twelve children, on January 16th, 1903. His schooling was interrupted briefly because of an illness when he was 9 years old. After school he worked as a farmhand, and in 1922, at the suggestion of nuns, for whom he was working at the Untermarchtal convent, he entered the Benedictine Abbey of Beuron, as Brother Alexander. In 1928 he began to behave strangely, and because of this he was first sent to the Neustadt Seminary for Priests at Heidelberg, and from there back to Alzhausen, since, as he phrased it: "They did not want to feed me for forty years".

In January 1929 he became an apprentice to an Alzhausen cabinet-maker, and in March of the same year he interrupted a service at the town's Lutheran church, by preaching to the assembled churchgoers.

A few days later he was sent to the Schussenried Psychiatric Institution where schizophrenia was diagnosed. He was to stay at Schussenried for the next 17 years. He tried to flee eight times during that period and was always brought back after a few days.

At Schussenried he began to construct his first muscle-power-driven airplanes. On the 5th of June 1937, the doctor made this entry in his case history: "Is in good humor, keeps on drawing flying objects at which even the layman marvels." When the war ended, he asked the newly installed chief psychiatrist if he could be sent to another institution and, after all those years at Weißenhaus, he was finally sent to an open institution, Landhaus Buttenhausen on the Swabian Alb, where he has been living ever since. Here, he finally gets a little workshop and is able to build larger models and wing constructions which he mounts onto an old bicycle. Constructions like the umbrella-helicopter, axle-wing flyer and three-chute-glider, all driven by muscle power. He pushes them uphill then gets on his bicycle, and in a breathtaking, rattling downhill race, with wings flapping and the wind tearing at the canvas he keeps attempting take-offs which usually end in one of the wayside bushes.

So far, he was airborne only by a few inches. Once however, a gust of wind caught him and lifted him several meters, and, after turning him upside down, landed him in a meadow.

In stormy weather Gustav wears a sort of armor with a rigid crash helmet and for rough landings, he mounted coiled springs on galoshes which somehow have the effect of pogo sticks. He tried out the galoshes first by jumping from a two meter high platform, having first stacked up some straw, of course.

Gustav Mesmer has constructed roughly 100 flying machines. Most of them are smaller models with the weirdest names and shapes. There are runner-dragons, bag-swingers, sieve-dragon-airbicycles, dragon-zeppelins, flag-gliders and pipedeckers.

*

For some time now, he has also been building musical instruments from the same junk materials he uses to build his flying machines. He built a trumpet-violin with a horn instead of a sounding board, a bag-violin that can only be played at the neck, a mussel-mandolin which emits notes only from a small opening at the side. The strangest of all is a talking machine. He built it, he says, because he is not a good talker. He says he can program whole sentences on it. At the present there is only one word in the program. Bicycle. Cars, he says, are not in the vocabulary.

# Gaisburger Marsch oder „Schnitz und Spatzen“

Zur Brühe:

2 krause Knochen, 1 Markknochen

600 g Rind- oder Ochsenfleisch
(z. B. hohe Rippe, Ochsenbrust, Brustkern, Bugblatt oder Wade)

1½–2 l Wasser

1 gelbe Rübe, ¼ Sellerieknolle

1 Petersilienwurzel, 1 kleine Zwiebel

¼ Stange Lauch, 1 Eßl. Salz

einige Pfefferkörner

2 Lorbeerblätter

Spätzle nach dem Rezept Seite 12, halbe Menge

750 g Kartoffeln

Zum Überschmälzen:

geröstete Zwiebelringe

4 Eßl. feingehackte Petersilie

Die Knochen zerkleinern, mit kaltem Wasser aufsetzen, rasch zum Kochen bringen und dann erst das Fleisch einlegen. Abschäumen und nach dem ersten Aufkochen die Hitzezufuhr reduzieren. Die Brühe sollte nur sanft kochen. Nun das grob zerkleinerte Gemüse und die Gewürze zugeben und die Brühe ca. 1½–2 Stunden kochen.
In der Zwischenzeit die Spätzle zubereiten und warm stellen. Die Kartoffeln schälen und in größere „Schnitz“ schneiden. Die Brühe durch ein Sieb gießen und die Kartoffelstücke darin ca. 10–15 Minuten kochen. Das Fleisch solange warm halten.
Zum Anrichten das Fleisch in kleine Würfel schneiden und abwechselnd mit den Spätzle und den Kartoffelschnitz in eine vorgewärmte Suppenterrine geben, die heiße Brühe darübergießen. Den Gaisburger Marsch mit goldgelb gerösteten Zwiebelringen und mit gehackter Petersilie servieren.

Anmerkung: Die Kartoffelschnitz können auch separat wie Salzkartoffeln gekocht werden – das spart etwas Zeit. Allerdings dürfen die Stücke nicht zu gar sein!

In seinem Buch „Preisend mit viel schönen Reden“ schrieb Thaddäus Troll über den Gaisburger Marsch:
„Eine Leibspeise der Schwaben ist der Gaisburger Marsch, ein Eintopf aus kleingeschnittenem Ochsenfleisch in einer kräftigen Brühe mit Kartoffelschnitzen und Spätzle. Vor dem Ersten Weltkrieg hatten die Einjährigen, die mindestens sechs Klassen einer höheren Schule besucht haben mußten, damit automatisch Offiziersanwärter waren und statt zwei nur ein Jahr zu dienen hatten, in den Kasernen gewisse Vorrechte. So brauchten sie nicht in der Kantine zu essen, sondern durften in eine Wirtschaft gehen. Die Einjährigen in der Stuttgarter Bergkaserne bevorzugten die Küche der Bäckaschmiede in Gaisburg, deren Spezialität dieser Eintopf war. Vor dem Essen formierten sie sich zum Gaisburger Marsch, eine Bezeichnung, die später auf ihr Lieblingsgericht übertragen worden ist.
Eine der Grundsubstanzen dieses Nationalgerichts ist die Kartoffel, die wir den Franzosen zu verdanken haben.
Zehnjährige Steuerfreiheit nebst Grund und Boden wurde den aus Savoyen wegen ihres protestantischen Glaubens vertriebenen Waldensern in Württemberg zugestanden. Sie brachten zu Beginn des 18. Jahrhunderts die Kartoffel und den Maulbeerbaum ins Ländle. Die 1200 Maulbeerbäume gediehen nicht, aber die 200 zuerst in Schönenberg bei Maulbronn gepflanzten Kartoffeln eroberten bald ganz Deutschland.
Sie heißen im Schwäbischen Erdbirnen, Grundbirnen oder Erdäpfel: Äbira, Grombira, Ärdäpfl.

# Gaisburger Marsch or "Schnitz und Spatzen" (beef, potato and *Spätzle* stew)

| For broth: |
|---|
| 2 soup bones, 1 marrowbone |
| 1 1/4 lbs. beef (e. g. ribs, brisket, shoulder or leg) |
| 1 1/2–2 qt. water |
| 1 carrot, 1/4 celery root |
| 1 parsley root, 1 small onion, 1/4 leek stalk |
| 1 tbsp. salt |
| some pepper corns |
| 2 bay leaves |
| *Spätzle* according to recipe on page 13 (half quantity) |
| 1 1/2 lbs. potatoes |

| To garnish with: |
|---|
| fried onion rings |
| 4 tbsp. finely chopped parsley |

Chop bones, put in kettle with cold water, bring to a boil quickly and add meat. Skim off and reduce heat. Now add coarsely chopped vegetables spices and herbs and cook broth for 1 1/2–2 hours.
In the meantime make *Spätzle* and keep warm.
Peel potatoes and quarter or cut in large slices *(Schnitz)*. Strain broth and cook potato pieces in broth for about 10–15 minutes. Keep meat warm.
For serving cut meat in small cubes and put into a preheated soup pot alternating *Spätzle* and potato pieces, pour hot broth over it.
Serve *Gaisburger Marsch* garnished with fried onion rings and chopped parsley.

Note: The potato pieces can also be cooked separately like boiled potatoes which saves some time. Avoid overcooking!

In his book *Preisend mit viel schönen Reden* Thaddäus Troll, a Swabian author, writes about *Gaisburger Marsch*: "A favorite dish of the Swabian people is *Gaisburger Marsch,* a stew made of small chunks of beef in a hardy broth together with potato pieces and *Spätzle.* Before World War I, the soldiers who had attended at least six classes in a school of higher education were automatically candidates for officers, serving only one year instead of two, and had certain privileges in the barracks. For example, they didn't have to eat in the cantine but were allowed to go to a restaurant. The one-year-term soldiers of the Berg Barracks in Stuttgart preferred the food of the *Bäckaschmiede* restaurant in Gaisburg, whose specialty was this stew. Before eating they fell in line and marched to Gaisburg. The expression *Gaisburger Marsch* was later to be given to this favorite dish. One of the basic elements of this national dish is the potato, which we owe to the French. In Württemberg, ten years of tax exemption together with land was granted to the *Waldenser* who were expelled from Savoy because of their faith. At the beginning of the 18th century they brought the potato and the mulberry tree into the country. The 1200 mulberry trees didn't thrive, but the 200 potatoes which were planted first in Schönenberg near Maulbronn* soon won over all of Germany. In Swabian dialect they are known as *Erdbirnen* (earth pears), *Grundbirnen* (ground pears) or *Erdäpfel* (earth apples): *Äbira, Grombira, Erdäpfl."*

* cloister, 12th century, near Pforzheim

Als ihm der russische General Obuchow den Orden „128. Held der Feuerwehr“ an die Uniformjacke heften wollte und, da er keine Öse vorfand, sich anschickte, mit der Ahle seines Taschenmessers eine kleine Öffnung zu bohren, protestierte Kurt Frech: „I ka doch koi Loch en meim Kittel braucha!“, und der General mußte ihm den Orden so in die Hand drükken.
Das war 1981 anläßlich der 7. Internationalen Feuerwehrwettkämpfe. 129 Wettkampfmannschaften aus 19 Nationen waren nach Böblingen gekommen. Dazu noch 350 Symposiumsteilnehmer aus 26 Ländern und vier Kontinenten. Es war eine der glanzvollsten Feuerwehrveranstaltungen, die es hierzulande je gegeben hatte. Sicherlich die internationalste.
Besonderer Höhepunkt dieser Feuerwehrolympiade, wenigstens für die Böblinger, war der vorletzte Tag, als ihre Freiwillige Feuerwehr eine Goldmedaille erringen konnte. Es dürfte zweifellos auch für Kurt Frech einer der Höhepunkte seines bisherigen Feuerwehrlebens gewesen sein.
Seit 29 Jahren ist er jetzt Feuerwehrkommandant. Feuerwehrmann war er quasi schon mit 14 Jahren, als er im zerbombten Stuttgart Verletzte und Tote aus den Trümmern holte. Seine Freunde sagen von ihm: Wo immer er einmal war, er findet selbst nach Jahren auch mit verbundenen Augen wieder hin, und wo immer er war, ob Bürgermeisteramt oder Nachtclub, man kennt ihn auch nach Jahren sofort wieder.
Er ist auch nicht zu übersehen. Etwas über 1,90 m groß, hat er schon 132 kg auf die Waage gebracht. Zur Zeit sind es 115 kg.
Zu seinem untrüglichen Orientierungssinn gesellt sich die ebenso ausgeprägte Gabe, zum richtigen Zeitpunkt genau das Richtige zu tun, notfalls auch zu sagen. Wobei Kurt Frech lieber handelt als redet.
Das war schon beim Sechzehnjährigen so, als er 1945 zusammen mit Gleichaltrigen jeden Tag für die Franzosen 10 000 Weißbrote von der Konsumbäckerei in Stuttgart holen mußte und er von einem jungen Leutnant mit einer Stockpeitsche ein paar übergezogen bekam, weil er den hungrigen Stuttgartern am Hauptbahnhof beim Vorbeifahren immer etliche Brote vom Lastwagen aus zugeworfen hatte. „Von henta, ond des hot weh doa.“ Frechs Reaktion war für die damalige Zeit ungewöhnlich und für den Franzosen ebenso überraschend wie schmerzhaft. „Zerscht han i eam an Loib Brot stockvoll uf d' Gosch nufgschmissa, na ben e raghopft ond han en beim Kraga packt ond verschlaga. D' Algerier send mit ihre Gwehr dabeigstanda ond hent net gewißt, was doa.“ Als einer der Algerier den diensttuenden Offizier, einen Captain, der etwas Deutsch sprach, holte, sagte er zu diesem: „Ois müasset Se sich merka: Fürs Arbeita laß i mi vo dem Lausbuba net au no verschlaga.“ Frechs Revanche kam zwei Tage später, als sie am Güterbahnhof Schokolade ausladen mußten. An einem der Nebengeleise stand auf einer Rampe der Personenwagen des Captains, der gerade seinen Mittagsschlaf hielt. „Do hot des Leitnantle nix anders gwißt, als wia mit dem Auto immer vor ond zrück fahre, immer vor ond zrück. Uf oimal tuats en Schlag, ond er isch ieber d' Ramp gfahra, und des Auto stoht uf'm Kopf. Da han i zu de andre gsait: ‚Wenn oiner lupft, der kriagts mit mir z'doa. Mir schreiet hauruck, aber glupft werd net.‘ Ond da hend mir immer hauruck gschria, aber des Auto hot se net an Zentimeter grührt.“ Durch das Geschrei unsanft aus seinem Mittagsschlaf gerissen, erschien der Captain und fragte Frech, wer das gewesen sei. „‚Ha, der do‘, han i gsait, ‚der Leitnant.‘“ Zwei Wochen wurde dann der Leutnant im Keller der Bahnhofswirtschaft eingesperrt. „Ond i han eam ab ond zua an Loib Brot rontagschmissa“, so Frech, „damit er net verhongert isch, der Kerle.“

*Kurt Frech – Feuerwehrkommandant in Böblingen.*

*Kurt Frech, fire-chief in Böblingen*

ge Feuerwehr
reisstadt
olingen

Die Feuerwehr-Olympiade war nicht die erste Großveranstaltung der Böblinger Feuerwehr. 1976 hatte sie den Landesfeuerwehrtag ausgerichtet, und an internationalen Wettbewerben hatte sie bereits 1961 und 1963 teilgenommen. Überall hatte sie sich tapfer geschlagen, was nicht unwesentlich dazu beitrug, daß sie und ihr Kommandant in Europa immer bekannter wurden.
1966 war Kurt Frech mit seinen Leuten in Karlova in Kroatien.
„Do send mr dem Tito vorgschtellt worda ond seiner Frau, der Jovanka. Des war a saubers Weib. Dera han i so fescht in d' Auga guckt, se isch ganz rot worda. Ha no, da war au der Tito scho siebezg Johr alt."
Als sie das erste Mal auf Einladung des dortigen Feuerwehrbataillons nach Paris kamen, sollten sie nach Offizieren und Mannschaften getrennt untergebracht werden, was Frech nicht akzeptieren mochte.
„‚Stopp', han i gsait, ‚des gibt's bei ons net!' No hent mir älle ins Kasino derfa."
Am nächsten Tag sollten die Böblinger direkt an der Oise eine Übung vorführen.
„Do hent dia ons an Citroën brocht, voll mit Benzin ond Autoroifa, ond hend den azonda ond gsait: ‚So, jetzt löschet amol!' Mir hent den Citroën ruck, zuck ausgmacht. No han i gsait: ‚Wisset er was, jetzt lent mir dia au a weng schaffa', ond hent des Auto im hoha Boga in d' Oise neigschmissa. Do hent dia taucha müassa ond an Krana hola ond hent müassa au a Vorführung macha. So hent mir ons mit de Franzosa ganz guat verschtanda."

*

Von 1962 bis 1974 war Kurt Frech, der von Beruf Mechanikermeister ist, im Böblinger Stadtrat. Er ist heute noch stolz darauf, daß er der einzige Arbeiter im Gemeinderat war. Frech war natürlich auch mit dem Gemeinderat unterwegs.
„Oimol waret mir in Schweda ond send in a Schlägerei neikomma. Do han i eigentle zom erschte Mol Rocker gseha. Mir send vier Gmeinderät gwä ond send durch en Park hoimganga. Ond da hent dia Rocker emmer d' Leit gschuggt. Ond koiner hot se gwehrt. Da han i me direkt gwonderet ond han gsait: ‚Wenn uf mi oiner naschuggt, der frißt acht Tag nemme!' Ond scho isch oiner dagwea, ond i han eam glei so uf d' Gosch nufgschlaga, daß er in da Papierkorb neighagelt isch. No send vier, femf uf ons losganga, ond die hent mr geschwend verhaua. Uf oimol hent de andere Leit au zuagschlaga, ond da war des pletzle a Masseschlägerei von hondert Leit. Do hent se de Schweda zom erschte Mol gega d' Rocker gwehrt.
Am nägschte Tag send mir am Schloß droba gschtanda, do war grad dr Chruschtschow auf Bsuach, ond da fahret Schtudenta her ond lent a rot agstrichene Sau raus.
Da secht onser Reiseleiterin: ‚Ganget no glei, sonscht müasset ihr des au gwesa sei.'"

Bei der Feuerwehr gibt es natürlich nicht nur Wettkämpfe, sondern auch Feste. Bei der Heimfahrt von einem Festbankett in Schwäbisch Gmünd fuhr dem Auto des stellvertretenden Feuerwehrkommandanten ein Lastwagen aus einer Seitenstraße direkt vor die Nase, ohne auf die Vorfahrt zu achten.
Frech beschreibt das so: „Do kommt so a Laschtwägele, ond des hot lauter Moschtobst glada ghet. Wege dem isch heut no dr Spruch bei dr Beblenger Feuerwehr: ‚Dem bachet mir oine.'
Dr Beitingers Willy isch gfahra, mit seim nagelnuia VW, d' Zigarett en dr Gosch hanga ond d' Nas an dr Scheib ond naghuaschtet, daß dr Tabak am Lenkrad beppt, ond da fahrt des Laschtwägele vor ons rei.
Dr Beitingers Willy hätt bremsa kenna, ond schtatt bremsa schreit er:
‚Dir bach e oine, du Schofseckl!'
Uf oimal tuats en Schlag, ond mir send bis zom Hals en de Äpfl gsessa. Dem Laschtwägele hot's d' Pritsch weggrissa, ons hot's zuadeckt, ond mir hocket in dem Moschtobst. Da han i gsait: ‚Willy, dem hosch oine bacha!'"

When the Russian General Obuchow tried to pin the medal of the "Great Order of the Soviet Union – 128th Hero of the Fire Brigades" on his uniform coat, and, not finding a loop began to pierce a small hole in Frech's jacket with the aid of a penknife, Kurt Frech protested: "I don't want a hole in my jacket", and the General had to put the medal rather unceremoneously into the palm of Kurt Frech's outstretched hand. That was in 1981 on the occasion of the 7th International Fire Brigades Tournament.
129 teams from 19 nations had come to Böblingen. In addition to the tournament, 350 delegates from 26 countries and 4 continents met for an international symposium.
One of the highlights for the Böblingers was when, on the day before last of the tournament, their team won a gold medal. It was also a highlight in Kurt Frech's career as a fireman.
For 29 years now, he has been chief of the Böblingen Voluntary Fire Brigade. His life as a fireman began in 1944 when he hauled injured and dead civilians from the debris of bombed-out Stuttgart.
His friends say of him: "Wherever he has been once, he can still, years later, find his way about blindfolded, and wherever he has been once in a night club or the mayor's office, people recognise him years later."
He is in fact hard to overlook. Standing six foot six he once weighed 132 kgs. Now he is at 115. His keen sense of orientation is coupled with a natural talent for doing the right thing at the right time, no matter what the circumstances.
The tournament in 1981 was not the first major event staged by the Böblingen Fire Brigade. In 1976 they had been hosts to the State Fire Brigade Convention.
They had participated in international events as early as 1963. In 1966, Kurt was in Yugoslavia with some of his men, and was introduced to Tito and his wife Yovanka. "I looked her so hard in the eyes, that she blushed", he says, and: "Of course Tito was already seventy at the time." When they were in Paris for the first time they were to do a demonstration right on the banks of Oise river. The French had packed an old Citroën full of tires and, having poured gasoline over it, lit it. Kurt and his men extinguished the flames a jiffy. Turning to his men Kurt said: "And now let's throw the damned thing in the river, so that our friends will have something to do as well."
It took the French several hours and a crane to pull the wreck up from the bottom of the river. "That way we got on with one another splendidly", says Kurt.

From 1962 to 1974 Kurt Frech, who is a mechanic by profession, was a member of the Böblingen City Council. He is proud even to this day that he was the only blue-collar worker on the City Council. Of course, Frech also travelled a lot with the Council.
"Once we were in Sweden", he says, "and got involved in a brawl. There were four of us walking through a park, back to the hotel, when we saw a gang of hoodlums, shoving and pushing people around. I said, if one of them starts pushing me, I'll hit him in the mouth so hard, he won't eat for a week. No sooner had I said that, when one of them started shoving me. I hit him so hard, he landed in a garbage can! Then four or five of his friends jumped on us but we gave them a good beating. Suddenly, other people started hitting back as well and in no time at all there was a mass brawl going on with about a hundred people taking part. That was the first time the Swedes had stood up against a gang of hoodlums.
The next day we were up at the castle, where Khrushchev was paying a visit. All of a sudden a car stopped and some Swedish students let out a pig, painted red. When our tour guide saw that, she said: "I think you'd better leave now, otherwise people will say you've been at it again!"

## 949. Hefenteig zu kleinem Backwerk.

Zwei Pfund Mehl nimmt man in eine Schüssel und rührt von der Hälfte des Mehls mit vier Loth Hefe und Milch einen festen Vorteig an, läßt ihn gehen, nimmt dann etwas Salz, ein halbes Pfund Butter, vier Loth Zucker, etwas Zitronenschale und vier Eier dazu, schafft ihn mit der nöthigen Milch zu einem leichten Teig, läßt ihn wieder gehen, bricht kleine Stücke davon, formt Seelen, Halbmonde oder kleine Zöpfe davon, setzt sie auf ein mit Butter bestrichenes Blech, läßt sie gehen, bestreicht sie mit verrührtem Ei, überstreut sie mit geschnittenen Mandeln und Zucker und backt sie.

## 950. Seelen von Hefe.

Dazu braucht man ein Pfund Mehl, ein Viertelpfund Butter, zwei Eier, vier Loth Zucker, einen Löffel voll Hefe, für einen Kreuzer Rosenwasser, und Milch nach Bedarf. Man macht einen Vorteig, schneidet darauf die Butter, und stellt ihn zur Wärme; ist er gegangen, so klopft man die Butter, die in dieser Zeit gewiß weich geworden ist, in den Teig, schafft die andern Dinge alle hinein, bis der Teig vom Löffel fällt, er soll wie ein Dampfnudelteig in der Dicke seyn; nun läßt man den Teig in der Schüssel nochmals gehen, macht kleine längliche Brode oder Seelen daraus, setzt sie auf ein mit Butter bestrichenes Backblech und läßt sie auf demselben eine halbe Stunde gehen; ehe sie in den Ofen kommen, bestreicht man sie mit Zucker vermischtem Eiweiß.

## 951. Pfitzauf.

Ein halbes Pfund feines Mehl wird sammt dem nöthigen Salz mit etwas von einem Schoppen Milch glatt gerührt, dann werden fünf Eier, ein Viertelpfund zerlassene Butter, von der man zwölf Förmchen gut bestrichen hat, dazu gethan, nun rührt man es mit der übrigen, warm gemachten Milch an, füllt die Förmchen halb voll und backt sie in frischer Hitze. Als Beilagen zu Obst, Spargeln, Schwarzwurzeln u. dgl. sind sie sehr gut.

*Reprint: "Neues Kochbuch von J. L. Löfflerin", Stuttgart, 1858*

## Pfitzauf

5 Eier
250 g Weizenmehl
1 Prise Salz
1/2 l Milch
125 g Butter
Puderzucker zum Überstäuben

Die Eier mit Mehl, Salz und etwas Milch glattrühren. Die übrige Milch erhitzen, einen Teil der Butter zum Ausstreichen der Pfitzaufförmchen (Kaffeetassen sind auch brauchbar) verwenden, die restliche Butter in der Milch zerlassen. Die kochendheiße Milch mit der Butter unter den Teig rühren. Die Förmchen halbvoll mit Teig füllen. Der Teig geht beim Backen stark auf! Im vorgeheizten Backofen bei 180 bis 200° C etwa 30 bis 40 Minuten backen. Pfitzauf heiß aus der Form stürzen und zu Kompott, z. B. Apfel- oder Quittenkompott, oder mit einer Fruchtsoße – Hägenmarksoße (Hagebuttenmark) paßt gut dazu – servieren.
Werden die Pfitzauf süß serviert, mit etwas Puderzucker überstäuben. Pfitzauf können aber auch als Beilage zu Gemüse serviert werden.
Es gibt alte Pfitzaufrezepte, die mehr Mehl (375 g) und mehr Milch (3/4 l) sowie 50 g Zukker, dafür aber weniger Butter vorschreiben. Das rührt unter anderem daher, daß die früheren Pfitzaufförmchen recht groß waren und daß Pfitzauf als Hauptgericht gereicht wurde.

Möchte man ein besonders lockeres Ergebnis erzielen, so können anstatt 250 g Mehl nur 125 g Mehl verwendet werden (für 4 kleine Förmchen). Diese Pfitzauf schmecken köstlich zum Nachtisch oder zum Nachmittagskaffee.

## Pancake puffs

5 eggs
1 cup wheat flour
pinch of salt
1 cup milk
1/2 cup butter
powdered sugar for topping puffs

Mix eggs with flour, salt and some milk and beat until smooth. Heat remaining milk, use part of butter for greasing custard cups for *Pfitzauf* (coffee cups can be used as well) and melt rest in milk. Stir boiling milk with melted butter into batter. Fill custard cups only half way with batter since it rises when baking! Bake in preheated oven at 350–400 degrees for about 30–40 minutes. Remove from forms while hot. Good served with compote, e. g. apple compote, quince puree or with fruit sauce like sauce of rose hip pulp. If *Pfitzauf* are served sweet, sprinkle with powdered sugar. *Pfitzauf* can also be served as side dish with vegetables. There are old recipes for *Pfitzauf* which prescribe more flour (3 cups) and more milk (3 cups) and 1 3/4 oz. sugar but less butter. Among other reasons this is due to the fact that the former baking dishes for *Pfitzauf* were quite big and that *Pfitzauf* was served as a main course.

If you want to achieve an especially light result, use only 1 1/4 cups flour instead of 2 cups (for 4 little dishes). *Pfitzauf* are delicious for dessert or with coffee in the afternoon.

Lotte Hagmayer Vater war der Ansicht, die Tochter eines Buchbinders müsse auf die Welt kommen und „scho glernt sei". Besonders dann, wenn drei Generationen von Buchbindern vorausgegangen waren. Weshalb er sich auch immer aufregte, wenn ihr ein Fehler unterlief. Sie war das erste Mädchen in der Werkstatt unter lauter Lehrbuben und Gesellen. Einer davon, der Albrecht, sollte später einmal ihr Mann werden. Damals wußten sie beide noch nichts davon. Auch der Albrecht kam aus einer Buchbinderfamilie, ebenfalls in der dritten Generation. Die Sailers hatten ihren Betrieb 1864 in Ulm gegründet, die Hagmayers den ihren in Blaubeuren.

*

Um die Geburt vom Albrecht war etwas Seltsames. Er war, so unglaublich dies klingen mag, ohne Haut – oder so gut wie ohne Haut –, nur mit einem hauchdünnen, durchscheinenden Film bedeckt, auf die Welt gekommen.
Der Doktor hatte zu seiner Mutter, die völlig verzweifelt war, gesagt:
„Oh, lent au no des Büable schterba! Des hot koin Wert. Ohne Haut ka der Mensch net leba."
Als sie ihn zur Haustür brachte und ihren Tränen freien Lauf ließ, wurde sie von einer vorbeikommenden Spitalerin gefragt:
„Hagmayerin, worum heulet Ihr denn so?"
Worauf sie ihr von ihrem Unglück erzählte. Da riet ihr des Spittel Weib:
„Jetzt ganget Er an d' Ach ond holet a Achwasser, ond no donket Er des Büable emmer wieder en des Achwasser nei."
Das war im Januar 1914. Das Büable überlebte und ist heute 73 Jahre alt.
Als Lottes Lehrzeit begann, war die von Albrecht gerade zu Ende. Der Albrecht, der als Geselle die Fortschritte Lottes zu überwachen hatte, hat dann ihre Fehler immer wieder ausgebügelt, ehe der Vater es merkte. So entwickelte sich bald eine echte Freundschaft, aus der später eine tiefe Liebe und eine glückliche Ehe wurde.
Zum Beruf des Buchbinders kam die Lotte, weil kein männlicher Erbe da war, und Schriften schreiben lernte sie ebenfalls auf Wunsch des Vaters, denn in einem Buchbinderbetrieb der damaligen Zeit waren Schilder und auch Buchtitel zu beschriften, sofern diese nicht in Gold geprägt wurden. In der väterlichen Buchbinderei gab es eine vielbeachtete Stempelsammlung aus vier Jahrhunderten zur Vergoldung kostbarer Lederbände. Kalligraphin war sie immer etwas nebenbei. Die Aufträge, Urkunden von Hand zu schreiben, kamen hauptsächlich über die Buchbinderei. Ihr bisher größter Auftrag war es, das große Totenbuch der Stadt Ulm zu schreiben. In Ulm war nach dem Krieg die Überlegung, ob man den Toten und Gefallenen des Zweiten Weltkriegs ein Denkmal setzen oder ihre Namen in einem Buch festhalten sollte. Man entschied sich für letzteres. Für das Buch mit seinen 84 großformatigen Pergamentseiten benötigte man die Häute von 42 Kälbern. Achttausend Namen waren einzutragen, und das Buch mußte innerhalb von sechs Monaten fertig sein, so daß sie manche Nacht durchschreiben mußte. Pergament hatte man genommen, nicht nur weil es das dauerhafteste Material ist, sondern auch weil die Schrift auf der Tierhaut eine besondere Tiefe erreicht und die Farben eine unvergleichliche Leuchtkraft haben.

*

Die Arbeit an dem großen Totenbuch war nicht leicht für sie. Viele der Namen waren ihr vertraut, waren Gefährten ihrer Kindheit. Auch aus der väterlichen Werkstatt waren Tote zu beklagen. Mit Wehmut denkt sie an das alte Ulm und mit Schmerz an das, was im Krieg alles zerstört wurde.

---

*Lotte Hagmayer – Kalligraphin und Buchbinderin in Ulm.*

*Lotte Hagmayer, callygraphist and bookbinder in Ulm.*

Das alte Ulm und das einfache, bescheidene Leben damals sind ihr heute noch gegenwärtig. „Mir waret ja a Handwerkerfamilie, vier Kinder waret zom Versorga." Da mußte man sparen und einteilen, daß es für alles Nötige langte. „Bei 'ma Buch, des zom Binda a Mark ond fuffzg Pfennig kostet hat, isch net arg viel übrig blieba, ond wenn d' Mutter a neu's Blüsle kriagt hat, semmer om so romgstanda ond hend se bestaunt wie's achte Weltwunder."

Es hat nie Not gegeben, aber auch keinen Überfluß. Wünsche wie Reiten oder Tennis spielen mußte der Vater abschlagen. Doch Ski laufen hat sie schon mit zehn Jahren gelernt, bei einem Onkel, einem Mathematikprofessor, der in Ulm der erste Skifahrer war. Im Sommer wurde gewandert. „Wenn ma zrückdenkt, wie farbig domols a Wies ausgseha hot, was do zwischa dem Gras alles gwachsa isch! Ond em Wald koi Papierle, ond was do heut älles romliegt! Mir hent nix wegschmeißa dürfa, so send mir erzoga worda." Die Kinder, meint sie, sind damals „g'schnitta" worden wie ein junger Baum, und das hat fürs Leben gehalten.

Nach zehn Jahren Realschule war sie mit siebzehn zum Vater in die Lehre gekommen, mit achtzehn an die Ulmer Kunstschule. Nach zwei Jahren Lehrzeit kam sie dann nach Weimar zu Professor Dorffner, einem Kirchheimer, der dort an der Kunstschule lehrte (Bauhaus) und eine eigene, bestens bekannte Fachhochschule für Buchbinderei unterhielt. Sowohl in Ulm als auch in Weimar hatte sie Unterricht im Schriftschreiben.

In Weimar machte sie auch ihre Gesellenprüfung und ging dann ein Jahr später noch einmal für kurze Zeit nach Hannover. Ihre Meisterprüfung legte sie 1939 ab, noch vor ihrem Mann, der damals schon Soldat war.

Lotte und Albrecht Hagmayer – aus deren Werkstatt später viele schöne Arbeiten in viele Länder gingen, kostbar gebundene Einbände, Vergoldungen von Thronsesseln und Schreibtischen, Bücher für die päpstliche Bibliothek und handgeschriebene Urkunden auf echtem Pergament – gehörten zum Freundeskreis um den schwäbischen Dichter Ludwig Finckh und jenen fast schon legendären Leonhard Mundi aus Besigheim, der vierzig Jahre seines Lebens darauf verwendete, um das „Goldene Buch vom Schwabenland" zu schreiben, das größte handgeschriebene Buch der Neuzeit, das bis heute noch keinen endgültigen Platz gefunden hat. Lotte und Albrecht haben auch einige Bücher Ludwig Finckhs gebunden.

Ludwig Finckh hat oft den Vater besucht. Lotte hatte seine „Finckhen-Chronik" gebunden, da war er ganz entzückt, wie sie sagt, „von den drei Finkle" am Rücken. Als er einmal wieder da war, wollte er „das Mädle kennalerna", das ihm seine Chronik so schön gebunden hatte. Als sie ihm vorgestellt wurde, sagte er: „Jetzt lasset Se amol d' Händ seha, die so ebbes fertigbrengat!" Da streckte sie ihm ihre tuscheverschmierten Hände hin und sagte: „Do, so sehat se aus!"

Die Hände von Lotte Hagmayer können nicht nur Bücher in kostbares Leder binden und mit dreiseitigem Goldschnitt versehen oder fein säuberlich gotische Lettern auf Pergament setzen, sie bakken auch noch das allerbeste Ulmer Zuckerbrot. Einem Singchor aus Ungarn, der in Ulm zu Gast war, hat sie einen großen Stollen, dünn, so wie es sein muß, in nur drei Millimeter dicke Scheiben aufgeschnitten, auf den Heimweg mitgegeben. Zur Erinnerung an das Brot, das ihre Vorfahren vor vierhundert Jahren in das Banat mitnahmen. Eine der Teilnehmerinnen bedankte sich später bei ihr mit den Worten: „Wir haben es auf der Heimfahrt gegessen und haben alle geweint."

Kinder sind Lotte Hagmayer und ihrem Mann versagt geblieben. Ihre Kinder waren die über sechzig jungen Menschen, die bei ihnen nicht nur das Buchbinden, sondern auch fürs Leben lernten. Das war das Wichtigste, wie sie meint. Dies und noch eines: „Wenn ma ganz still uf den Nächste horchet, der neba oim lebt." Und: „Wenn ma wenig will, kriagt ma oft viel mehr."

Her father had the opinion that the daughter of a third-generation bookbinder should know everything there is to know about the trade from the moment she is born. Which is why he never failed to be astonished whenever she made a mistake.
She was the first girl in a workshop, where, in those days, one normally would only find male apprentices and shophands.
One of them, Albrecht, was later to become her husband, but at the time neither of them had any idea of that.
Albrecht was also a third-generation bookbinder. The Sailers had a shop in Ulm, the Hagmayers had theirs in Blaubeuren.
Lotte learned the trade of bookbinding because there was no male heir in the family. She learned the art of calligraphy because in a bookbinder's shop in those days, not only signs were painted, but also the titles on the books, if they were not pressed in gold.
Calligraphy was something she did mostly on the side, with the exception of the biggest work she was ever to do, a *Memorial Book* for the city of Ulm.
In Ulm, after World War II, the question arose whether to put up a memorial for the dead of World War II or to record their names in a book. The City Council decided on the latter.
For the book, with its 84 large format pages of parchment, the skins of 42 calves were needed. Within six months, eight thousand names had to be written in finely stenciled Gothic letters, which meant Lotte had to work through many a night.
Parchment was used because it is the most durable material and because ink has greater depth on animal skins and the colors obtain an incomparable brilliance.

⁂

Work on this *Memorial Book* was not easy for her. Many of the names were familiar to her from her childhood. It is with sadness that she thinks back on pre-war Ulm and all that was destroyed during the war.
Ulm as it was before the war and the simple life in those days is still alive in her. "We were four children", she says, "every penny was turned over twice before it was spent. A book cost one mark fifty pfennigs to bind, so there wasn't much left for expenditures. When mother had a new blouse, we stood around admiring her like the eighth wonder of the world."

⁂

When Lotte became an apprentice in her father's shop she was 17. At 18 she went to art school in Ulm and at 19 to Professor Dorfner (Bauhaus) in Weimar, whose school for bookbinding was one of the best in Germany at that time.
In Weimar she was promoted to a journeyman and in 1939 she passed her trade examinations.

Lotte and Albrecht Hagmayer, from whose shop beautiful works went to all countries of the world – books bound in precious leather, gold-embossed leather-topped desks and thrones, volumes for the Pope's library and documents handwritten on parchment – were friends of the late Swabian poet Ludwig Finckh and the legendary Leonhard Mundi, who spent forty years of his life writing *The Golden Book of Swabia,* the largest handwritten book of modern times.
Lotte bound the books for *Ludwig Finckh's Chronik,* who was so impressed with her work he wanted to see the hands that could do such a perfect job.

⁂

Lotte and Albrecht Hagmayer never had any children of their own. Their children were the more than 60 young people, who not only learned a trade in their shop, but also learned about life. That was the most important thing to her, that, and a very modest axiom: "If you want less, you get more."

## Ofenschlupfer*

| |
|---|
| 3–4 mürbe Äpfel, 40 g Zucker |
| 1–2 Eßl. Arrak oder Rum |
| 6 altbackene Brötchen oder 300 g altes Weißbrot |
| 1/4 l Milch, 50 g Butter |
| 5–6 Eier, getrennt |
| 20–30 g Zucker |
| 1 Prise Zimt |
| abgeriebene Schale von 1/2 Zitrone |
| 30–40 g geriebene Mandeln |
| 50 g gewaschene Sultaninen |
| Butter und Semmelbrösel für die Form |
| Butterflöckchen zum Aufsetzen oder 2 Eiweiße und 60 g Zucker |

Die Äpfel schälen, in feine Blättchen schneiden und diese mit Zucker und Arrak oder Rum durchziehen lassen.
Die abgeriebenen Brötchen in feine Scheiben schneiden und mit der Milch anfeuchten. Die Butter schaumig rühren, Eigelb, Zucker, Zimt und Zitronenschale sowie die geriebenen Mandeln darunterrühren. Die Eiklar gesondert zu steifem Schnee schlagen.
Die Apfelscheiben, die getrockneten Sultaninen und den Eischnee locker unter die Butter-Eigelb-Masse heben.
Eine feuerfeste Form ausbuttern, mit Semmelbröseln ausstreuen. Da hinein die Brötchenscheiben lagenweise mit der Apfelmasse einfüllen, obenauf reichlich Butterflöckchen setzen. Den Ofenschlupfer in ca. 30–40 Minuten bei 180–200° C backen – die Oberfläche sollte eine schöne Farbe haben.
Statt Butterflöckchen kann auch Eischnee nach ca. 20 Minuten Backzeit über den Ofenschlupfer gestrichen werden. Dazu 2–3 Eiklar mit etwa 60 g feinem Zucker zu steifem Schnee schlagen. Dann die Zuckermenge bei den Äpfeln etwas vermindern.

* Foto S. 98/99

## Dampfnudeln**

| |
|---|
| Hefeteig: 500 g Weizenmehl |
| 1/2 Würfel (ca. 20 g) frische Hefe |
| 1 Prise Zucker |
| 1/8–1/4 l lauwarme Milch |
| 2 Eier, 80 g Butter, 60 g Zucker |
| Schalenabrieb von 1/2 Zitrone |
| 1 Prise Salz |
| Zum Aufziehen (Backen): |
| 40 g Butter, 1 Prise Salz, 2 Eßl. Zucker |
| gut 1/4 l Wasser oder halb Milch, halb Wasser |

Das Mehl in eine Schüssel oder auf ein Backbrett schütten und in die Mitte eine Vertiefung drücken. Die zerbröckelte Hefe, Zucker und etwas Milch verrühren und in die Vertiefung gießen. Den Vorteig gehen lassen, dann mit allen anderen Zutaten zu einem geschmeidigen Teig verarbeiten. Den Teig gehen lassen, dann entweder fingerdick auswellen und mit einem Glas Küchle ausstechen oder mit einem Löffel kleine Portionen abstechen (ca. 20 Küchle), nochmals gehen lassen. In einer Kasserolle die Butter zerlassen, Salz und Zukker zugeben und die gewünschte Flüssigkeit (die Flüssigkeit sollte 2 cm hoch in der Kasserolle stehen). Die Flüssigkeit aufkochen lassen, die Küchlein hineinsetzen und den Dekkel auflegen (falls der Deckel nicht gut schließt, einen Teigstreifen um den Rand legen). Auf dem Herd bei mittlerer Hitzezufuhr in ca. 20 Minuten aufziehen. Wenn die Dampfnudeln aufhören zu zischen, noch 10 Minuten weiterbacken, damit sich eine Kruste bildet. Mit einer Backschaufel herausheben und mit Kompott oder Vanillesoße servieren. Oder die Dampfnudeln in der offenen Kasserolle im Backofen bei ca. 180–200° C in ca. 20–25 Minuten aufziehen. So bräunen sie ringsum. Evtl. die Flüssigkeitsmenge erhöhen, damit sie nicht ansetzen.

** Foto S. 102/103

## Ofenschlupfer (bread-and-apple pudding)*

3–4 ripe apples
3 tbsp. sugar
1–2 tbsp. arrack or rum
6 stale rolls or 10 oz. stale white bread
1/2 cup milk
2 oz. butter
5–6 eggs, separated
2 1/2 tbsp. sugar
a pinch cinnamon
grated peel of 1/2 lemon
2 tbsp. grated almonds
2 oz. washed raisins
butter and bread crumbs for baking dish
small pats of butter to put on top
or 2 egg-whites and 4 tbsp. sugar

Peel apples, cut in fine slices and steep with sugar and arrack or rum. Cut rolls in fine slices and moisten with milk. Beat butter until creamy, mix in egg yolks, sugar, cinnamon, lemon peel and grated almonds. Beat egg-whites separately until stiff. Fold together apple slices, raisins and whipped egg-white with butter-yolk mixture. Grease a fireproof baking dish and sprinkle with bread crumbs. Alternate bread slices layers with apple mixture and generously top with small pats of butter. Bake *Ofenschlupfer* 30–40 minutes at about 350–400 degrees – the top should be slightly brown.
Instead of butter you can also spread whipped egg-white over *Ofenschlupfer* after about 20 minutes of baking time. In this case beat 2–3 egg-whites together with 4 tbsp. sugar until stiff and reduce quantity of sugar for apples.

* Foto S. 98/99 / photo p. 98/99
** Foto S. 102/103 / photo p. 102/103

## Dampfnudeln (steamed dumplings)**

Yeast dough made from:
1 lb. wheat flour
1/2 cube (about 0.7 oz.) fresh yeast
a pinch of sugar
1/3–1/2 cup lukewarm milk
2 eggs
3 oz. butter
2 oz. sugar
grated peel of 1/2 lemon
a pinch of salt
for baking:
1 1/2 oz. butter
2 tbsp. sugar, a pinch of salt
1/2 cup water or half milk, half water

Put flour into a bowl or on a board and make a little hollow in it. Mix crumbled yeast, sugar and some milk and pour it in the hollow. Let yeast mixture rise, then mix with other ingredients and knead until smooth. Let rise again, then roll out to finger thickness and cut out small rounds with a glass or cut little portions with a spoon (about 20 little rounds). Let rise again. Melt butter in a casserole, add salt and sugar and liquid (liquid should stand 1 inch high in the casserole). Bring liquid to boil, put little rounds in it and cover with lid (if lid should'nt close well enough, put a strip of dough around rim). Cook on stove over medium heat for about 20 minutes. If *Dampfnudeln* stop sizzling, cook for 10 more minutes so that a crust can develop. Lift out with a spatula and serve with compote or vanilla sauce.
Or, bake *Dampfnudeln* in open casserole in oven at 375° F to 400° F in 20 to 25 minutes. *Dampfnudeln* brown on top and are then called *Rohrnudeln*. Good with vanilla sauce or just with coffee.

Originale scheint es früher im Schwäbischen zuhauf gegeben zu haben. Erzschelme wie den Pfeffer von Stetten, den man zu Recht einen schwäbischen Eulenspiegel nennt, oder Dichter wie den Tübinger Ochsenmetzger Christian Späth, dessen Vierzeiler

*Der Mond braust durch das Neckartal,*
*die Wolken sehen aus wie Stahl...*
*und in den Straßen sieht man nix*
*als nur die Tücke des Geschicks.*

ebenso in die schwäbische Geistesgeschichte eingegangen ist wie seine berühmt-philosophische Anmerkung:

„Wenn i älls obeds vo Dußlenge reifahr, den gestirnte Himmel über mir, das sittliche Gesetz in mir ond meine Säu henter mir, da verleb ich meine schönste Schtonde."

Auch Pfarrer waren darunter, so der Kirchdorfer Pfarrer Michael Jung, der mit seinen Grabgesängen eine Art geistliches Moritatenliedgut geschaffen hat, Sprachforscher wie Moriz Rapp, der die schönsten Sonette der klassischen portugiesischen Literatur ins Schwäbische übersetzte, und sogar Statistiker wie jener Lehrer, der ausgerechnet hatte, daß er während seiner fünfzigjährigen Amtszeit 911 456 Stockschläge, 124 010 Rutenhiebe, 115 800 Kopfnüsse und 7908 Ohrfeigen verteilt hatte.

*

Das Eigenwillige liegt dem Schwaben im Blut. Die Freiheit, für sich beanspruchen zu können, so zu sein, wie er ist, mit all den „Sparren" und Schrullen, ist ihm ebenso wichtig wie das „höchste Begehren des schwäbischen Mannes", wie August Lämmle es einmal nannte, nämlich „unabhängig zu sein, um allzeit und allerorts das Recht der eigenen Persönlichkeit mit dem höchsten schwäbischen Trumpf, dem Leibwort des Götz von Berlichingen, ausspielen zu können."

Beides, das Eigenwillige wie das Unabhängige, sind Elemente des Originalen. Und beide, das Eigenwillige wie das wahrhaft Unabhängige, scheinen im Schwinden, wenigstens gemessen an der Zahl der Originale, die immer weniger werden.
Unsere Zeit bereitet offensichtlich nicht mehr den Humus, den sie brauchen.

Zu den „original" schwäbischen Gerichten, die in diesem Buch aufgeführt sind, sollten eigentlich die Dampfnudeln nicht gezählt werden. Selbst in schwäbischen Kochbüchern, wenigstens den älteren, werden sie als „Bayrische Dampfnudeln" aufgeführt. Mit Recht.
Es gibt im Bayerischen sogar ein Lied über Dampfnudeln:

*Dampfnudeln hama gestan g'habt,*
*Dampfnudeln hama heit,*
*Dampfnudeln hama alle Tag,*
*Grod, wia 's uns gfreit,*
*Dampfnudeln mit ara Zwetschgnsoß*
*oder an Kraut...*

Wenn man dem Lied glauben darf, dann gibt es in Bayern Dampfnudeln nicht nur „alle Tag", sondern auch noch mit Kraut, was man bei seiner Vorliebe fürs Kraut eher dem Schwaben zugeordnet hätte.
Trotzdem gehören die Dampfnudeln, bayerisch oder nicht, zur schwäbischen Küche wie die Grieben zur Blutwurst. Ebenso wie die Schupfnudeln, die man im Fränkischen „Wargele" nennt, die sauren Kartoffelrädle, die in Bayern „saures Kartoffelgmüs" heißen, und der Rostbraten, den man anderwärts als Wiener Rostbraten kennt. Die Grenzen verwischen sich, wenigstens im Süden Deutschlands. Das Originale ist Gemeingut auch der Nachbarstämme. Und so soll es vielleicht auch sein.

In the old days there must have been characters galore in Swabia. Jesters like Pfeffer from Stetten, poets by chance such as the Tübingen butcher Christian Späth whose four-liner

*The moon roars through the Neckar Valley*
*Clouds look like steel, there is no time*
*to dally*
*'cause in the streets there's absolutely nix*
*Except fate's dark and cunning tricks"*

has become just as much part of Swabian literary history as did his famous semi-philsophical enlightment: "When I'm driving home in the evening, the starry skies above me, the moral law within me, and my pigs behind me, I live my happiest hours." Or priests such as Parson Michael Jung of Kirchdorf, whose made-to-order graveside songs had become so popular in the nineteenth century that he could hardly satisfy demand. Men of letters, such as Moriz Rapp, who translated the most beautiful sonnets of classical Portuguese literature into Swabian dialect because he felt that the nasal tones of Portuguese were akin to Swabian, and even statisticans like that unknown schoolmaster who had painstakingly kept account and had figured out that during his fifty years in office, he had "handed out" 911 456 thrashings by cane, 124 010 floggings by rod, 115 800 knocks on the head and 7908 slaps in the face.

*

Eccentricity is in the Swabian blood. To have a right to one's whims and follies is just as important as is the "superior aim of each and every Swabian male" as poet August Lämmle once defined it, "to be independent enough to play the highest Swabian trump, that is, to be able to bid the Swabian Greeting* 'anywhere and at any time."
Both the eccentric and the independent are elements of the "original", and the "original" seems to be slowly disappearing. At least judging by the dwindling number of characters around. Our times apparently do not provide the humus they need.

Speaking of the original: *Dampfnudeln* or steamed dumplings should not normally be counted amongst original Swabian dishes. In fact, in most Swabian cookbooks, at least the older ones, they are shown as *Bavarian Dampfnudeln,* and quite rightly so. In Bavaria there is even a song about *Dampfnudeln:*

*„Dampfnudln we had yesterday*
*Dampfnudln we've got today*
*Dampfnudln we've got everyday*
*Just as we say.*
*Dampfnudl with a stew of prunes*
*Or with some Kraut...*

If one can believe that song, *Dampfnudln* grace the Bavarian's table every day. Accompanied even by *Kraut,* despite the fact that *Kraut* or cabbage is a Swabian favorite. Nevertheless, *Dampfnudeln,* Bavarian or not, also belong to Swabian cooking as does blood to bloodwurst. Likewise do *Schupfnudeln* (potatoe noodles) which in Franconia are called *Wargele,* and *Saure Kartoffelrädle* (hot German potato salad), which in Bavaria is called *Saures Kartoffelg'müs.* The same holds true of another Swabian mainstay, *Schwäbischer Rostbraten,* which elsewhere is called *Wiener Rostbraten,* and is nothing more than a steak with plenty of onions.
The borders of regional cooking blur, at least in Germany's south. The original is also common to the neighbors, and quite rightly so.

* Kiss my ass.

Der Autor dieses Buches, ein seit mehr als
25 Jahren im Lande lebender, mit einer Schwäbin
verheirateter Bayer, dankt dem Schwaben
Dr. phil. Heinz Eugen Schramm für die Korrektur
der schwäbischen Texte und das öfter als
nur gelegentliche Zurechtrücken der Kommas.